D1379799

QUITTER LA VILLE

Christine Angot est née le 7 février 1959 à Châteauroux. Après des études de droit international et d'anglais à Reims, elle s'installe à Nice. L'Arpenteur-Gallimard publie *Vu du ciel* en 1990 et *Not to be* en 1991. Puis Christine Angot quitte Nice pour Montpellier où elle écrit *Léonore, toujours* (L'Arpenteur-Gallimard, 1994). Suivent chez Fayard *Interview* (1995), *Les Autres* (1997), *L'Usage de la vie* (théâtre, 1998) et *Sujet Angot* (1998). Elle publie ensuite chez Stock *L'Inceste* (1999) et *Normalement*, suivi de *La Peur du lendemain* (2000).
Certains de ses textes ont été adaptés au théâtre, dont *Mais aussi autre chose* par Alain Françon.

Paru dans Le Livre de Poche :

L'Inceste

CHRISTINE ANGOT

Quitter la ville

STOCK

À ma belle Léonore

« *La violence commence dès qu'on sort de chez soi.* »

Interview

Je suis cinquième sur la liste de *L'Express*, aujourd'hui 16 septembre. Et cinquième aussi sur la liste de *Paris-Match* dans les librairies du seizième. Je suis la meilleure vente de tout le groupe Hachette, devant Picouly et devant Bianciotti.

Damien a laissé un mot à Jean-Marc, lundi, ou mardi, avec les chiffres, disant : c'est du jamais-vu ! ! ! avec trois points d'exclamation. À seize heures il y avait mille cent ventes pour la province et en général Paris c'est plus. On allait avoir deux mille. Pour un livre qui s'appelle *L'Inceste*, je rêve. Damien est le directeur commercial, il dit que c'est une progression mathématique. Les libraires commandent plus qu'ils ne vendent, pour ne pas être en rupture, pour assurer, s'ils commandent c'est qu'ils vendent. Ce n'est pas artificiel, ce qui se passe. La mise en place est partie vite. Damien ne s'endort pas avant quatre heures du matin, la nuit, tellement il est tendu. Le jour de *Bouillon de Culture* il mariait sa sœur, il n'a pas pu venir. Dommage. On a dîné à l'hôtel Costes, il y avait presque toute la maison. Certains avaient regardé l'émission chez Catherine, d'autres sur le plateau, on s'est tous rejoints. Il y avait aussi Lætitia, Laurent, Emmanuelle, et Frédéric, des amis. Damien m'avait dit dans la semaine : on est à sept cent cinquante, après *Bouillon de Culture* ce sera le double. (Par jour.) Je lui avais dit : ne dis pas ça, et si je suis nulle ? Il m'avait répondu décontracté : même si t'es nulle ce sera pareil, c'est là qu'il avait dit c'est une progression mathématique. Hélène, Anne-Claire, Fabienne, Capucine, Liliane, Christiane Besse, tout le monde y croit. Jean-Marc et moi on reste incrédules. Il était le week-end dernier à Sainte-Maxime. Il m'a dit « à la maison de la presse de Sainte-Maxime ils avaient tes livres, j'ai dit à Nathalie " pince-moi " ».

J'ai eu des moments de grande déprime, j'ai, des moments de grande déprime. Je me dis « qu'est-ce que ça m'apporte à moi ? » Éric Troncy dit qu'à *Bouillon de Culture* il m'a trouvée sexy, que j'étais une Christine Angot télévisuelle irréelle, qu'est-ce que ça m'apporte, à moi ? Je ne veux plus jamais entendre dire que ce n'est pas important la vie des écrivains, c'est plus important en tout cas que les livres. C'est la vie des écrivains qui compte. Savoir ce que c'est. On entend le mensonge et on entend la vérité, on entend le dedans et on entend le dehors, on est en soi et on est hors de soi, hors de soi, oui parfois hors de moi, en moi et hors de moi, pas folle, en moi et hors de moi, les deux, je prends la langue à l'intérieur et je la projette, dehors, la parole est un acte pour nous. C'est un acte quand on parle. Quand on parle c'est un acte. Et donc ça fait des choses, ça produit, des effets, ça agit. C'est un acte, ce n'est pas un jeu. Ce n'est pas un jeu, un ensemble de règles de toutes sortes. Ce n'est pas une merde de témoignage comme on dit. C'est un acte. C'est vraiment un acte. Moi aussi il aurait fallu qu'on me pince quand j'ai vu mon livre à l'aéroport. Mais j'étais seule. Quand on m'a dit qu'en allant acheter des cigarettes on le trouvait dans les maisons de la presse. Je n'ai pas de vie privée. J'ai tout transféré. Tout le monde se croit autorisé à me parler de ma vie, à donner des conseils débiles. Léonore. Ils sont inquiets. Je ne leur dis plus bonjour. Tout à l'heure trois au Café de la Mer, je ne peux plus marcher dans les rues de Montpellier. Je reste enfermée. Non ça ne me plaît pas, je suis obligée, si je veux continuer de tracer, et je veux, je ne peux plus faire avec leur vrai visage, qu'ils montrent sans même s'en rendre compte, et ce n'est pas joli. Mathilde : elle m'a énervée hier soir Christine à la télé, à sa deuxième intervention j'ai éteint. Ça, c'est une amie, ça, ça se prétendait une amie. Jalouse, tu n'es plus le number one à Montpellier. Jacques, j'étais avec Léonore, devant chez nous, il lève la tête, dis-moi ils ne sont pas très propres les carreaux de la maison, puis, je voudrais te parler, il faut penser à eux, les enfants, et bien sûr : je n'ai pas encore acheté ton livre. Et puis il y a eu Christophe Donner dans *Paris-Match*, la phrase : une fille qui suce la queue de son papa. Et aussi la phrase : elle nous emmerde avec sa fille. Et puis le mot papa qui est revenu plusieurs fois. L'inceste les met dans un drôle d'état, ce n'est pas clair, pourquoi il y a dans les journaux des pour ou contre Christine Angot. Ça c'est un vrai sujet romanesque m'a dit Hélène hier, et c'est tragique. Pour ou contre un film, ça arrive. Pour ou contre un livre c'est rare. Pour ou contre une personne et c'est moi, pour ou contre moi. Si pour ou contre une personne ce n'est pas un vrai sujet romanesque alors je change de métier. C'est pour ou c'est contre. Si c'est pour je ne supporte pas l'ombre d'une critique. Ta réponse à pourquoi le livre de Laclave n'est pas bien, était confuse. La prochaine fois, tu iras à ma place. Si c'est pour, je ne veux pas l'ombre d'une critique. S'il y a la moindre critique, je ne dis pas bonjour, je fais comme si je ne les voyais pas, j'arrête. À Montpellier ils enrobent leurs compliments dans des peaux de banane, on glisse dessus comme les merdes de chien dans la ville. Le maire, qui ne sort jamais dans les rues, est allé voir Fanette à la librairie Molière et lui a dit : elle est forte madame Angot. Qu'est-ce que ça m'apporte ? Il paraît qu'elle fait beaucoup de

bien mon attitude, j'ai reçu le cinq septembre :
Christine, Après avoir vécu dans ces milieux
plein d'usages, et connu la détention, j'ai adoré
votre prestation sur France 2 chez Pivot. S'il
fallait une définition de la liberté, ce serait
vous. Mais la liberté ne se définit pas, elle se
vit. Quel exemple... Mais je reste enfermée
chez moi. Je ne peux pas. Hier j'avais rendez-
vous sur la place avec Anne, elle était un petit
peu en retard, je ne tenais pas, sur cette place,
je suis rentrée.

Après avoir tué Laclave, appelons-le comme
ça, Sollers, Modiano, Paul Otchakovsky-Lau-
rens ne l'appellent plus de toute façon que
comme ça, après l'émission il est parti quinze
jours à l'étranger. Son éditrice n'a pas pu aller
dîner avec lui après l'émission, le perdant elle
ne voulait pas manger avec. Le patron de Gallimard était en rage, il a dit : après ça, qui peut
avoir envie d'envoyer des manuscrits c'était le
pire représentant de chez Gallimard. Moi,
après, je passais devant la vitrine de La Hune,
il y avait sa photo et il m'attirait, j'aimais son
regard, je me disais on aurait pu être amants
au lieu de s'entretuer en public. Si je m'étais
écoutée, je lui aurais téléphoné et je lui aurais
proposé de prendre un café. Alors qu'évidemment ce n'était plus possible du tout. Peut-être
qu'il faut que j'arrête. Peut-être qu'il faut que
j'aille dans le mensonge, je me coupe de tous.
Je me disais, moralement je suis inhumaine.

Laclavetine je ne le voyais pas avant, il n'existait pas, je le trouvais moche. La moustache c'est moche. Mais il m'attirait depuis que je l'avais mis à terre, je me voyais faire l'amour avec lui. Et depuis quelques jours avec Marie-Christine, en rentrant à Montpellier, en entendant comme elle était blessée, avec tout son petit milieu autour d'elle scandalisé, j'avais envie d'aller la ranimer, alors que ça m'avait vraiment passé, et envie d'elle, ça m'était passé. Depuis il y avait eu Éric, lui aussi j'avais écrit un texte qui avait tout cassé. Ça interdit tout rapport dans la vie après. Tous ces gens-là c'est impossible, impossible impossible, impossible, de les appeler.

Je suis sur la liste du Femina, la moitié du jury a déclaré qu'elle démissionnait si c'était moi qui l'avais. Viviane Forrester a téléphoné à Jean-Marc, morte de rire, en disant : la moitié du jury a déclaré qu'elle démissionnait si c'est elle qui l'a. Ça l'amusait, l'idée des débats pour ou contre moi. Je suis invitée en Louisiane début novembre avec Régine Detambel et Malika Mokkedem, ça me plairait d'aller en Louisiane, mais je ne pourrais jamais les supporter. Jamais. Je ne sais pas si je vais accepter. C'est Gil Jouannard qui m'a invitée, j'attends son appel. Là, dans la matinée. Il se passe quelque chose, en ce moment. Beaucoup de journalistes me posent la question de ce que je ressens. Et les autres. Pourquoi me demander à moi toujours.

La sortie du livre était d'abord prévue pour le 1er septembre avec un tirage de dix mille exemplaires. Jean-Marc a dit dans une réunion de libraires : ça fait dix ans que j'attends qu'on attende comme ça. Mathieu Lindon a eu envie de suivre les réunions de libraires, parce qu'il voulait suivre ce livre, qu'il a aimé dès qu'il a lu le manuscrit, en mai. Mathieu Lindon aime que des gens aient envie d'être célèbres. Geneviève Vincent m'a écrit : Merci d'exister même si *Libé* m'énerve. Et aussi, un peu avant : J'espère que ton désir de célébrité ne va pas te changer. Je vais acheter ton livre, j'hésite entre Molière et Sauramps. La phrase de Jean-Marc dans *Libé* « elle veut être célèbre et j'ai tellement envie qu'elle le soit » les a déçus de moi. Il a dit aussi « ceux qui feront la gueule, j'aurai presque envie de leur casser la gueule », pour ça il a été traîné dans la boue, il a reçu des lettres anonymes d'insultes, on l'a traité de souteneur et moi de pute. Le livre s'appelle *L'Inceste*, je suis une pute et Jean-Marc mon souteneur, ils l'ont dit au *Masque et la Plume*, je ne suis pas un écrivain, ça fait moins pleurer que *Sans famille* d'Hector Malot tout le monde a ri, l'enregistrement est public. Quel humour, quelle grâce, quelle classe, quelle race. Ils ont dit : autrefois les romanciers faisaient mourir les parents plus tôt on pouvait pleurer. S'il suffisait de souffrir pour écrire, on croulerait sous les manuscrits de malheurs. Ils riaient. Dans le studio. En chœur. Les écrivains ne doivent pas vivre l'inceste, on me reproche d'avoir vécu l'inceste, c'est vrai je l'ai vécu. Il n'y aura pas roman sur la couverture, c'est la réalité, la vie des écrivains que je raconte, la vie d'enfer que vous nous faites mener.

Il y a eu le 17 juin 99 une nouvelle réunion de libraires, chez Stock à l'heure du petit déjeuner. La sortie du livre a été avancée au vingt-cinq août. Mathieu Lindon est là il a décidé de suivre l'avant du livre parce qu'il l'a aimé. Il a aimé le livre, il l'a lu, n'en déplaise à certains, qui ont prétendu qu'il ne l'avait pas lu, que c'était un coup médiatique, les trois pages du 26. Il écrit : Elle est entrée dans la pièce pour lire son manuscrit plutôt que d'en parler comme c'est habituellement l'usage. C'est la première fois qu'elle lit pour les libraires. Jean-Marc Roberts dira ensuite : « Elle n'a pas souhaité venir pour *Sujet Angot*, l'an dernier, et je m'étais dit que ce n'était pas plus mal, que tout serait plus facile l'année d'après. Pour *Sujet Angot* j'aurais dû insister pour qu'elle aille à la télévision, pour *L'Inceste* ce ne sera pas la peine. » (Je ne veux pas entendre que ce n'est pas intéressant, que c'est de la cuisine interne, je n'ai plus de vie privée, c'est ma seule vie. Je reprends :) « Tout le monde veut le livre, les épreuves. Vingt-cinq personnes disent qu'elles l'ont lu alors que personne ne l'a lu. Certains disent que c'est génial d'autres que c'est nul. » Elle prend un extrait dans chaque partie, elle lit très vite et sobrement. Elle tient le manuscrit de sa main gauche et tente quelques gestes de sa main droite, doigts ouverts, doigts serrés. Elle est extrêmement concentrée, il y a une forte tension. Plus personne n'ose toucher aux pourtant délicieux petits croissants de chez Dalloyau, sur la table du petit déjeuner.

La semaine après *Bouillon de Culture*, effectivement, on a doublé, mille cinq cents. Cette semaine la moyenne est de mille huit cents, Damien pense que ça va monter encore. Jean-Marc m'a dit que cinquième, je vais monter encore. Il m'a dit aussi il faut que je te trouve un appartement à Paris et une école pour Léonore, parce que, à Montpellier, cette vie, ça ne peut plus durer, à ne pas dire bonjour. Il faut que tu quittes la ville. Ils vont dire que j'ai la grosse tête, que ça me tourne la tête, et comme d'habitude que je suis folle. Il y a « internez-la » dans le courrier d'*Epok*. Parce que j'ai sucé la queue de mon papa, c'est tellement joli comme phrase, je me la repasse. Aujourd'hui dans *Midi libre* c'est reparti, pour ou contre. Sujet de passions et de controverses, coup médiatique ou révélation d'un auteur rare, on parle de la nouvelle Duras, on lui promet l'entrée au Lagarde et Michard. Insultée, encensée, elle ne laisse pas indifférent. Il n'y a rien de pire que l'indifférence comme disent toujours les attachées de presse, mais pas Hélène, c'est la classe au-dessus Hélène. Elle me disait au début, au tout début, vers août, tous les articles sont bons, j'aimerais qu'il y ait un débat. Elle est servie. Avec la moitié du Femina qui menace de démissionner, Jean-Louis Ezine qui dit à Garcin, que ce n'est pas possible au *Masque et la Plume* dans son souvenir il était plus violent que ça, beaucoup plus, il trouve que ce n'était pas assez, il est sûr que Garcin l'a coupé. Garcin n'a rien coupé. Il pense que ce n'est pas possible. Dans son esprit, dans son souvenir c'était plus. J'ai dit à Jean-Marc : mais qu'il vienne, carrément, 4 rue de Madrid, me tuer. Hélène espérait un débat un tout petit peu plus élevé. Alors qu'ils sont là, stupides, à se poser la question de *Bouillon de Culture* ou pas, elle a eu raison de le faire ou pas, elle a eu raison de dire ça ou pas. Mais bien sûr *Bouillon de Culture*. Vous ne voulez pas qu'on nous voie, vous ne voulez pas qu'on parle. J'ai reçu : « Madame Angot, Le bouillon de Culture de Bernard Pivot c'est tout pareil au télé-achat de Pierre Bellemare. L'avantage du second tient à ce que le fabricant de vaseline parfumée n'est pas invité à faire croire, avec faux détachement et vraie suffisance, qu'il est l'inventeur de la sodomie. » Et c'est moi qui suis violente. Moi. « Chère grande écrivaine, voilà l'estrade que l'on vous offre. Promotrice des ventes. Je connaissais la fille, j'ai vu la mère, Madame Angot. Sèche. Revancharde. Avec du tic. Du toc et du principe. Je suis l'écriture ! » Etc. Il y a aussi des lettres dithyrambiques, ça m'énerve tout autant. Et ce Rouaud qui se permet de dire, dans *Midi libre* ce matin, en plus il n'a pas donné son nom, anonymement, de dire à la journaliste « c'est un personnage très dur, revendicatif. Elle veut se médiatiser. Elle a du talent, elle écrit des bouquins coups de poing, elle est sincère mais elle s'est enfermée dans une fuite en avant », note tel écrivain-voisin, qui habite à deux pas de chez moi. Un jour : ton père a un Alzheimer ? Si ça n'avait pas été lui, ç'aurait été toi, regarde Rita Hayworth, elle avait la maladie d'Alzheimer et elle couchait avec son père. Trois points d'exclamations. Le 10 août, le tirage a été augmenté à 13 500 exemplaires parce que les libraires réagissent très bien. Le Grand Livre du Mois en a acheté 1 500 alors que les clubs ne sont pas la cible d'un tel titre. Ça ne les empêchera pas de prétendre que j'ai fait *L'Inceste* pour vendre. Et ça vend. Ça vend toujours quand ça se termine par « c'est terrible d'être un chien », la meute est émue. Ça vend. Pince-moi, pince-moi. Mais je suis seule. Le 17 août tout va bien mais Jean-Marc Roberts sait la limite qu'auront les ventes du livre, dit-il à Mathieu Lindon qui ajoute :

23 août. Christine Angot est invitée à *Bouillon de Culture* chez Bernard Pivot le 3 septembre. Elle est dans les dix-sept auteurs sélectionnés par *Les Inrockuptibles* et France Culture pour la rentrée. *Le Monde* devrait s'y intéresser la semaine prochaine, *Le Nouvel Observateur* cette semaine et *Libération* aujourd'hui. Pour retrouver tout ça j'ai repris l'article de *Libé* du 26 août, en fait il y avait eu le 25, quatre pages dans *Les Inrockuptibles*, et comme c'était la veille je crois que Mathieu était un peu déçu, de ne pas avoir été le premier à lancer, m'a dit Hélène. Être le premier à lancer, oui.

Et si je l'appelle Mathieu c'est que j'ai appris à le connaître après, avant je le vouvoyais.

Ça les rend fous l'inceste. Detambel, « elle a à faire à des gens qui font du fric avec l'audimat. On invite Angot parce qu'on sait que ça va chier. J'espère qu'elle va arrêter de se prêter à ce jeu ». Elle voit ce que je ne vois pas. J'aime l'expression « ça va chier » quand dans mon livre je parle de la sodomie, que je n'ai pas inventée du reste. Elle espère que je vais arrêter, de me prêter à ce jeu. Ils ont tous un avis, j'aurais dû faire ci et pas ça. Toute la société, entre autres des gens de lettres, a un avis sur ce que j'aurais dû faire pour éviter l'inceste, ils espèrent que je vais arrêter. Ils m'expliquent comment, et pourquoi. Je me prête à un jeu, ce jeu est pervers. Ils le voient.

Bref. Bref, bref, bref. Il faut que je quitte la ville mais comment faire. Léonore ici a son père, sa grand-mère, son grand-père, son école, elle l'adore, ses copines. Elle ne veut pas s'en aller, elle ne veut pas quitter Montpellier. Parce que les uns après les autres, tous, je ne veux plus leur parler. Si j'habitais Paris je pourrais aller tous les jours chez mon éditeur, en ce moment je ne supporte que les protecteurs. Hélène qui retarde son départ pour me dire : ça va, tu sais, tout va bien, ça va vraiment très très bien. Je lui dis : pour ou contre une personne c'est rare, c'est très rare que ça arrive à quelqu'un, dans le débat, dans le débat public. La moitié qui démissionne, les pour et les contre, les insultes. Mais surtout ça, pour ou contre non pas un livre mais une personne. À part Le Pen je ne vois pas. On invite Le Pen parce qu'on sait que ça va chier. Éric Troncy : « Un truc qui n'existe à la télévision que dans le champ politique, et sous ses formes les plus vulgaires. Elle était royale, magistrale, d'un autre temps. » Cet article m'a fait plaisir sur le coup. Dès le lendemain je pleurais. Plus haut il y a aussi « à se demander comment un tube cathodique pouvait restituer une beauté aussi glacée, sexy, brûlante, iconique presque, et terriblement contemporaine ». Et de nouveau, toujours le même, Éric Troncy, « la violence érotiquement retenue qui s'accrochait au décolleté magnifique de son corsage noir, ce buste raide et ce port majestueux de la tête ». Ça m'a flattée, ça m'a fait plaisir, j'étais même contente. Jean-Marc m'a dit « ce mec est amoureux de toi ». Et aussi dans le courrier des lecteurs, du même journal, le même jour « je voulais écrire une lettre d'amour à Christine Angot. En fait, c'est différent, j'avais une irrépressible envie de lui dire Je vous aime. Alors que je ne suis pas amoureux d'elle. Peut-être à cause de son charme physique, ça a dû jouer. Peut-être aussi parce que cette femme qui se jette contre les murs m'intrigue. On a l'impression qu'elle en souffre mais que c'est presque les murs qui se jettent sur elle, comme si la vie qu'elle aime pourtant lui devenait systématiquement souffrance. À la lire, j'ai eu envie d'être le mur. Enfin comprendre qui se jette sur l'autre. Mais les envies passent, la lecture rend versatile, superficiel. » Voilà une lettre qui rajoute vraiment une pièce au dossier. Il avait envie d'être le mur pour que je me casse la gueule, comment vous voulez que je m'en sorte. Éric a fait exactement pareil, mais lui, il l'a écrite la lettre, il l'a écrite la lettre d'amour. Il ne s'est pas rendu compte qu'en fait il voulait juste être le mur contre

24

lequel je me fracasse une fois de plus. Et moi non plus je ne m'en suis pas rendu compte.

Je vais téléphoner chez Stock, encore vingt minutes avant de savoir quels sont les chiffres, où ça en est, qui a dit quoi, quelles sont les nouvelles, qu'est-ce qui se passe. Virginie Despentes a dit à Axelle à propos de mon livre « waouh », Modiano à Jean-Marc « elle les enfonce tous », et Sollers « dis-lui que je l'embrasse doucement, et presque incestueusement ». Mais qu'est-ce que ça m'apporte ? J'en suis à quitter la ville. Et je ne sais pas comment. Je me sens traquée, c'est ça je me sens traquée. Savigneau a dit « c'est mon combat personnel de l'année », mais quand même je me sens complètement abandonnée. Sauf quand Jean-Marc a dit : je vais te chercher un appartement et une école pour Léonore. Je vais essayer d'écrire, je vais essayer de continuer. Je ne sais pas ce qui se passe là, je pourrais me laisser mourir. Mon combat personnel de l'année, survivre, dans cette ville où je ne dis plus bonjour à personne. À très très peu. Mais Léonore, elle, elle trouve que c'est génial d'avoir une maman qui est écrivaine. Je vous ai dit que Sonia Rykiel avait demandé *L'Inceste* pour décorer ses vitrines ? Oui je vous l'ai dit. Ils ont beaucoup écrit aussi que je radote. Regarde Rita Hayworth. Elle a perdu la tête. Et moi je ne l'ai pas perdue, je l'ai bien accrochée sur le haut de mon corps, ma tête. Elle est là ma tête, sur mon corps. Je ne l'ai pas perdue, je l'ai gardée, je l'ai toute.

L'Inceste, je pensais que ça serait pris comme une merde de témoignage, ça va, ça ne l'est pas trop, une avocate d'Enfance et Partage m'a écrit, c'est tout, par rapport aux risques c'est peu. Sur l'homosexualité, pareil, très peu de choses. Je fais la couverture de *Têtu* mais c'est autre chose. Que ce ne soit pas une merde de témoignage, ils veulent bien. Mais c'est du bluff médiatique, c'est un coup médiatique. La presse croit tenir un os médiatique tel qu'elle aime les ronger, chaque année un nouvel atypique, ruant dans les conventions ou feignant de faire école. Je ne devrais pas passer à la télé, mais moi j'aime ça passer à la télé, ça me donne l'occasion de parler, de dire des trucs, j'aime bien dire des trucs à la télé.

Gil Jouannard m'écrit : Je ne vous crois pas en danger, enfin pas à cause de ce tsoin-tsoin médiatique, vous êtes d'une trempe à supporter cela. Mais j'ai pris ma décision pour la Louisiane. C'est non. Ça m'aurait fait plaisir d'aller en Louisiane. Mais si je veux y aller je paierai mon billet. Bien sûr j'aurai besoin en novembre de me reposer mais pas avec Detambel et Mokkedem. Ça m'aurait fait plaisir d'y aller aux frais de la princesse. Mais c'est moi la princesse.

Les chiffres sont en baisse aujourd'hui vendredi 18, mille cent. Mais c'est exprès les chiffres seront énormes lundi. Il n'en reste plus que neuf mille neuf cent soixante-dix à Maurepas. En tout on en a déjà vendu vingt-trois mille deux cent trente. La semaine prochaine j'ai l'ouverture de *L'Express*, *Télérama*, et quatre pages dans *Elle* d'entretien avec Houellebecq. Jean-Marc m'a dit, je crois que ça existe en Pocket, *Comment se faire de nouveaux amis ?* Pourquoi lundi les chiffres seront énormes ? Parce que c'est LDS, la grande distribution, qui s'approvisionne, les supermarchés, les Carrefour, qui jusque-là avaient fait moins de commandes. À France Loisirs, il paraît qu'on leur demande le livre.

Ça plaît, ça se vend, ça s'appelle *L'Inceste*, je suis cinquième des ventes sur la liste de *L'Express*, et aussi dans les librairies du seizième, d'après la liste de *Paris-Match*, ça devrait monter encore, malgré la baisse des chiffres vendredi, qui de toute façon sera rattrapée lundi. Sans parler de toute la presse à venir, ni de *Têtu* qui sort en octobre, ni de *Droit d'auteurs*, une émission de la Cinq : Les couleurs vives sont les bienvenues. Sous-entendu pas le chemisier noir.

Hier, trois pas dans la rue, je tombe sur Herman. Il n'a pas lu le livre, il a vu *Bouillon de Culture*. Il trouve que Pivot m'a utilisée, m'a ridiculisée, ce que j'ai fait avec Laclavetine, il a regretté que je ne l'aie pas fait avec Pivot, qu'il n'aime pas, qu'il n'a jamais aimé, qui l'a toujours énervé. Alors pourquoi. Pourquoi ? Je ne règle pas tous leurs comptes à eux tous ? Pivot, lui, l'énerve. Et l'a toujours énervé. Il ne comprend pas pourquoi je n'ai pas fait pareil avec Pivot, j'aurais dû. Je lui ai répondu : tu voudrais que je fasse aussi l'ascension du mont Blanc toute nue. Ça ira si je fais ça ? Ça va ? Je vais quitter la ville. Je ne dis plus bonjour à personne, je me prépare une année infernale, je ne supporte pas l'ombre d'une critique, Herman a compris, m'a dit « je vais lire ton livre, et je te téléphone, que je l'aime ou que je ne l'aime pas », tu me téléphones si tu l'aimes sinon ce n'est pas la peine. Le soir quand je rentre, message de Mathilde sur le répondeur. Il y avait dans *Midi libre* qu'elle avait éteint la télé parce que je l'avais énervée, j'avais ajouté « pauvre chérie, qui se prétendait une amie » à la journaliste qui le transcrirait, c'était tacite. Un message le soir, disant : ... par voie de presse... notre amitié, n'en sera pas j'espère affectée... propos rapportés par des tiers... ne regarde que nous... énervée... dans un moment... notre amitié... ta franchise... je pensais que moi aussi... je t'ai envoyé un projet, potlatch, où il y a une très belle... programmation, pour ne pas dire liste, Régy, Goebbels, Sclavis. Croyant m'appâter. Je ne réponds pas, je ne téléphone pas. Ce matin, Hélène Millau, la fleuriste la plus chère de la ville, et aussi la meilleure qualité, les plus beaux bouquets, me téléphone pour savoir si elle peut passer. Une brassée de roses rouges de Mathilde, pour me calmer, calmer la bête, sauvage. Je crois plutôt que c'est eux qui sont déchaînés. Je n'ai plus de désir pour personne, ni pour mes victimes. Ni plus de haine non plus, ni plus aucun ressentiment, j'ai juste envie de partir ça oui, j'hésite entre Paris et un village perdu d'Auvergne, Murat. Le petit mot sur les fleurs parle d'un énervement réciproque d'elle puis de moi, elle dit *no comment*, et cette ville est trop petite. Ces énervements ne doivent pas être l'objet de discorde, trop petite, trop parlante et la vie parfois difficile. Elle termine par Amitié. C'est tous qui sont contre moi, qui pensent que j'aurais pas dû dire ça, pas dû faire ça, que j'arrête ! J'espère qu'elle va arrêter de se prêter à ce jeu. Je ne peux pas me permettre de laisser leurs conseils m'affaiblir. Je ne les vois plus. J'ai répondu à Mathilde une lettre sèche. Aujourd'hui c'est dimanche, le temps est gris, j'aimerais aller voir *Eyes wide shut*, mais avec qui, et seule, si je rencontre dans la salle Marie-Christine, avec sa nouvelle copine qui louche, ça ne me paraît pas possible. Rien qu'hier dans les rues, j'étais pourtant assez bien, au courrier une lettre m'avait fait du bien, disant : la mise en abyme de vous-même, qui déclenche sur vous un narcissisme collectif, d'où cette exigence, ces lettres, et il glissait : Dylan : *She's an artist, she don't look back.* Hélas moi si malheureusement je regarde en arrière. Cet après-midi j'aimerais vraiment aller voir *Eyes wide shut*, mais hier la ville me semblait tellement agressive, les regards tellement mauvais, et les échos que j'ai eus dans une boutique : l'agressivité porte sur ta personne. La pneumologue, tout le monde peut la reconnaître, ça leur donne la diarrhée, ça révèle leur lâcheté, ç'aurait pu être eux, leurs petits magasins, leurs petits BOF, leur clientèle patiemment constituée, ç'aurait pu être eux cette pauvre Marie-Christine : L'ex-amie, médecin connue et facilement reconnue, n'est pas la seule à peu priser le procédé, qui nous conduit de la rue de la Loge à la Comédie, chez le fromager Puig puis chez le psy. Ils se posent la question, pourquoi tant d'agressivité, oui pourquoi ? Mais pourquoi donc ? Tout allait si bien. Tout n'allait-il pas bien ? Tout allait bien. Isabelle, à l'anniversaire de sa fille, à Claude, directement à moi elles ne me disent rien les mères d'école. Mais à Claude : Gazier, moi je ne sais pas, je n'ai pas lu, mais ça ne doit pas être si mauvais. Avec tes étudiants, ça va ? Tu n'es pas trop gêné. Et Léonore. Ça va ? Samedi tout était difficile, les courses, la rue, sauf le marchand de vélos, et le livreur de Inno. Sollers l'avait dit à Jean-Marc : à Montpellier ça sera intenable. Un problème concret, j'ai envie cet après-midi, vraiment, d'aller voir *Eyes wide shut*. Ce livre et cette émission m'ont mise pire qu'à nu. J'aurais besoin de protecteurs comme à l'époque où ce n'était pas seulement un titre mon livre. Mais non c'est la femme-médecin qu'on protège, toujours, et les pères, toujours, c'est la loi du Cid et de Chimène. Mais bon, un jour : Nous partîmes cinq cents ; mais par un prompt renfort Nous nous vîmes trois mille en arrivant au port. Je suis cinquième sur la liste de *L'Express*, et la tête haute encore. Si je reprenais les chiffres au début chez Gallimard, même pas cinq cents, et là, le 17, vingt-trois mille je ne sais plus combien. À Montpellier dans la petite ville, les gens que je connais à peine sont fiers. Les plus proches, c'est leur vrai visage qu'ils montrent alors que j'aurais besoin de protecteurs, et aussi à l'époque. Mais Fanette m'a dit, la libraire, en tout cas pour les ventes c'est plus efficace ici *Midi libre* que *Le Monde*. De toute la journée ça n'a pas arrêté. Que l'article était sorti elle l'a su c'est simple, en voyant Rouaud dans la rue, marchant le journal ouvert qui a failli se prendre un poteau. C'était ça, l'article était sorti : la Montpelliéraine a créé l'événement de la rentrée avec *L'Inceste*. Marie-Charlotte au téléphone le soir : ça n'a pas arrêté dans la boutique toute la journée, je commence, je te l'avoue à en avoir de tout ça une indigestion, ils sont comme déchaînés, si tu savais tout ce qu'ils peuvent dire, j'ai été obligée à midi de les arrêter. De le dire : taisez-vous, je ne dirai rien. Et puis alors même ceux dont tu penses qu'ils vont comprendre, eux non plus. Randja est venue me faire un massage, Emmanuelle m'a téléphoné le soir me demandant si des antidépresseurs j'en avais déjà pris, si ça créait une dépendance, une accoutumance. Je lui ai dit « tu t'en fous, ce qu'il faut c'est ne pas mourir ».

On en a vendu très exactement vingt-trois mille deux cent trente. Le tirage actuel est de trente et un mille, dix mille couvertures nouvelles sont prêtes, on va voir. Hélène pense que ça va durer comme ça jusqu'à décembre. Damien l'espère. À la soirée de l'hôtel Costes, Jean-Marc n'avait jamais vu Christiane, depuis des mois, rire comme ça. Tout le monde avait bu et ri, et parlait fort, moi aussi. Il n'y avait pas de champagne, je n'avais pas bu, quand Jean-Marc a proposé d'en prendre je n'en avais plus envie, c'était trop tard dans le repas, ç'aurait été au début. Sur le menu il y avait « pour Christine », il n'avait choisi que des choses que j'aime. Il y avait aussi des choses différentes pour les autres. C'était le trois, la nuit du trois au quatre, on ne savait pas que ça allait provoquer tout ça. Avec le recul des chiffres vendredi, j'ai peur de ne pas monter la semaine prochaine sur la liste de L'Express. Si je reste cinquième ça va, il ne faudrait pas que je redescende sixième. Je ne crois pas, j'espère en tout cas. On attend *Elle*, *L'Express* et *Télérama*, la semaine prochaine ça devrait être bon, il devrait y avoir une progression, à moins que les gens ne se lassent. De voir mon nom partout avec des titres idiots autour, un débat qui n'est pas littéraire, on dirait que tout ce que j'ai fait c'est passer chez Pivot. Ça ne me dérange pas. C'est la même chose parler, être là, être concentrée. Il faut que je sois rassemblée, un tout où tout est juste parce que tout est là. Rouaud trouve tel bouquin « remarquable » (*Vu du ciel*, c'est le plus mauvais qu'il aime) même si je « ressasse », admire mon « caractère entier » en déplorant mon « côté caractériel » dans *Midi libre*. Cette fois, j'espère qu'on ne va pas me faire changer les noms, je ne dis rien de mal, je ne dis que la vérité, ce que je sais, ce qui est vrai. Et tellement sur tellement de gens, qui pourraient m'accuser, me porter au tribunal, à moins d'un regroupement, improbable, à moins d'une communauté, lâchons le mot, inavouable. Pas dans le sens de référence, mais le sens : vous ne devriez pas l'avouer que vous êtes une communauté de lâches. De toute façon, comme me disait hier Debernard, le libraire : les lignes ennemies reculent. On en a vendu toute la journée. Depuis hier ça n'a pas arrêté. Nous partîmes trois cents, trois cent cinquante, nous revînmes, pour l'instant ! vingt-trois mille deux cent trente ! ! ! La presse, et ce n'est pas fini, et puis maintenant le bouche à oreille. Pince-moi, pince-moi, je suis seule finalement pas tant que ça. Ils l'achètent ce livre, *L'Inceste*. Je me revois à la réunion des représentants presque en train de m'excuser, vendre ce livre avec un titre pareil ils allaient avoir du mal. Il faudrait faire avec ce handicap, j'avais dit à Mathieu Lindon, comme dans la vie. Il avait repris la phrase dans *Libération*, et il avait repris aussi : on a des moments d'excitation et de joie avec Jean-Marc ensemble, en ce moment, peut-être après la sortie ce sera déception et déception. Ça avait dû lui plaire cette répétition. Excitation et excitation pour l'instant, joie et joie. Sauf les moments de déprime très forts, on a perdu une bataille on n'a pas perdu la guerre, quand *L'Événement* attaque, et *Le Point* c'est seulement une bataille pas la guerre. Quand je ne peux pas sortir, quand j'ai peur sur la place comme si j'étais nue, quand les courses j'ai envie de les finir, quand *Eyes wide shut* je crains d'être obligée d'y aller un jour de semaine à quatorze heures, quand elle travaille, et même les autres, ou de sortir en plein milieu, ou de voir le film dans des conditions déplorables, avec le cœur qui bat et une impression désagréable. D'ennemis. Même pas embusqués, qui se promènent ne sachant pas ma peur. Mais quatorze heures c'est l'heure de ma sieste, l'heure où j'ai besoin de me reposer. Je n'ai pas envie d'aller au cinéma à cette heure-là. Comme tout le monde, l'heure que je préfère c'est fin d'après-midi dimanche. Randja, ça serait bien. Pas seule, ne pas présumer de ses forces. J'en ai besoin encore, je n'ai pas fini. Randja m'a écrit : « Elle n'a pas fini d'éteindre la télé, Mathilde, elle t'a cherchée, elle t'a trouvée. Tu es chirurgicale, réaction immédiate, rayer. Plus de temps à perdre. » Dans ma réponse j'avais écrit : Quand Claude m'a dit que tu avais éteint la télé, je me suis dit : Mathilde, je la raye. Jean-Marc, c'est : ceux qui feront la gueule j'aurais presque envie de leur casser la gueule. Et quand l'article est paru dans *Le Point* il a dit « si je le rencontre, je lui casse la gueule ». Bourgadier disait « pour vous publier il faut un courage physique », sous-entendu il l'avait. On a vu ce qu'on a vu, on finit toujours par voir, et c'est souvent déception et déception. Ceux qui trouvent disproportionnées les méthodes, rayer et casser la gueule, ne voient pas, qui rient, qui nous traînent dans la boue, le soute-neur et la pute, faut être pute pour sucer son papa, ils précisent la queue, et puis pour accep-ter de se prostituer chez Pivot faut vraiment être une pas grand-chose. Rien même. Chris-tine Boutin hier chez Ardisson se vantait d'ai-mer faire l'amour dans la cuisine, la dernière fois c'était il n'y a pas si longtemps, avec son mari, le même depuis trente et un ans. Ça n'a pas fait scandale, moins que moi quand j'ai dit que je n'aimais pas le livre de Gazier ni de Laclavetine, Nothomb je n'ai rien dit parce que je ne pouvais pas allumer tout le monde. Je suis aussi un peu stratège. Si je mets beaucoup beaucoup de gens en cause, vraiment beaucoup, il n'y aura pas de procès, ce sera impossible. Le procès de toutes les petites choses normales ? Un procès social de toutes les petites choses normales, toutes les petites phrases banales, un procès de toutes les petites phrases banales que j'entends toute la journée, un procès pour les roses qui m'ont été envoyées. Toute la société contre moi, c'est vous qui êtes fous, dans quel état vous êtes, si vous faisiez ça. On ne va pas faire le ping-pong des toi-même toi-même. Dans les derniers temps on m'a traitée de folle, est-ce que ça va mieux ? Vous racontez votre folie. Ça va mieux ? Ils sont hallucinants. Ils sont incroyables. Tout ça normalement, bienveillant. Ma réponse : un écrivain fou c'est antinomique. Vingt-trois mille deux cent trente exemplaires vendu en trois semaines, bravo, ça vous intéresse. Je n'ai jamais acheté un livre sur l'inceste, moi, jamais, pas un. En revanche, eux, ça les intéresse.

Ça me permettra de quitter la ville plus confortablement. Je ne peux plus. Je pourrais rencontrer X, Y, Z, dans la rue, devant témoins être considérée comme le monstre. Ou la folle, l'agressive, la tapée, la caractérielle. Le quinze octobre, je vais à Strasbourg, autre paire de manches. Place Kléber, librairie Kléber, la ville où mon criminel perd la mémoire. Damien m'a dit : tu n'es pas obligée d'accepter. J'ai dit : j'y vais mais pas toute seule. Il viendra avec moi et Jean-Marc au retour de Francfort nous rejoindra. Cette lecture va être sans doute excellente. Il n'y a pas un adversaire, un argument central, ils ne vont pas tous m'attaquer dans un même tribunal, toutes les personnes citées vont assumer.

Comment tout cela s'est-il passé ? Puis les choses chronologiques. Point de départ de l'histoire. D'abord, réponse à la phrase : Comment créer un événement médiatique dans une rentrée ? Question posée dans *Le Point* sous l'alternative : Bluff médiatique ou chef-d'œuvre. Le premier paragraphe développe l'hypothèse du bluff : Les médias s'en emparent et, en une semaine, un écrivain, en l'occurrence Christine Angot, auteur de *L'Inceste*, devient une star. (J'ai été photographiée par Jean-Baptiste Mondino.) Analyse du phénomène et critique ci-dessous, dans *L'Événement* quatre pages dont trois pour le bluff, je ne suis pas un chef-d'œuvre, je suis un coup. Régine Deforges voulait faire quelque chose là-dessus dans *L'Humanité* mais elle s'est rendu compte que c'était un travail considérable de recenser toute la violence de ce qui s'est passé, elle n'avait ni l'espace ni le temps dans *L'Humanité*. Moi-même qui ai l'espace et le temps, je suis en dessous de la vérité. Vous n'imaginez pas le nombre de choses que je laisse filer. Au bout d'un moment le nombre de choses que je suis obligée de ne même plus considérer. Les heurts que je commence par ne même plus ressentir, les phrases dont je commence à sourire, les crises d'angoisse commencent même à s'espacer, tellement les fortes doses commencent à m'anesthésier. J'aurais voulu faire quelque chose d'épique et de tragique, mais mes mains ne suivent pas, et mon corps s'endort maintenant. Dans une soirée montpelliéraine vendredi, bourgeoise, quand j'ai entendu une femme avocate, blonde, sérieusement, dire « quelque part nous sommes tous des marginaux » je n'ai pas souffert. Et quand on a dit « c'est Christine Angot qui va couper le gâteau », je l'ai fait, j'ai accepté d'être le bouffon sans aucune crainte sur le moment. Parce que j'ai des compensations, un peintre en bâtiment hier, en allant acheter du jambon « je vous ai vue lors de votre passage et j'ai beaucoup apprécié » je voyais que c'était sincère. Du coup le reste j'accepte. Je n'étais pas là pour donner à chacun sa part de gâteau, j'étais peut-être un gage de justice, j'ai peut-être tort de m'en prendre à la bourgeoisie. Ça m'entraînerait trop loin d'y réfléchir. Je reprends.

« C'est ainsi qu'en une semaine une star est née. L'affaire a été lancée dès le 25 août dernier par un reportage d'Arnaud Viviant dans *Les Inrockuptibles*. Portrait d'un auteur (ayant déjà écrit huit romans) rencontré à Montpellier "l'écrivain le plus implacable de Montpellier", dixit Arnaud Viviant. » Dixit *L'Événement*. Dixit : une starlette est née, une rastignette, une petite vedette, et la presse tombe dans le panneau et ce n'est pas la première fois et ce ne sera pas la dernière. Il y avait déjà eu des tas de tocards et ce ne sera pas la dernière, à se croire sortie de la cuisse de Jupiter, et la presse tombe dans le panneau, l'aveuglement général. *L'Événement* ouvre les yeux, et *Le Point* :

« Le 26 août, *Libération* ouvre son supplément littéraire par un reportage très complet sur le lancement du livre. On y raconte les coulisses du marketing. Très documenté l'article donne le premier tirage : dix mille, révisé trois semaines plus tard à treize mille cinq cents, rapporte une conversation avec les libraires et retrace le film des événements comme si ce roman était déjà un best-seller. La rédaction du journal avait décidé, a priori, sans examen des autres romans de la rentrée littéraire, de faire de ce roman un événement.

« Le journal *Le Monde*, le jeudi 2 septembre, ouvre ses pages littéraires par un long article chaleureux signé par la rédactrice en chef, Josyane Savigneau. Le lendemain, vendredi 3, *Bouillon de Culture* permet à Christine Angot d'établir sa réputation de provocatrice et de romancière tapageuse : " Je fonce toujours dans le mur, dit-elle, avec l'espoir qu'au bout du compte il n'y aura pas de mur. " Ça, je l'ai dit ailleurs, c'est vrai et ce n'est pas drôle. Encore hier, deux voitures ont été obligées de piler pour ne pas m'écraser. Pendant l'émission, elle affronte violemment Jean-Marie Laclavetine, directeur littéraire des éditions Gallimard, lui-même romancier. Règlement de comptes qui s'explique sans doute par le fait que Christine Angot, impétueuse, n'a pas supporté les refus de certains de ses manuscrits aux éditions Gallimard. Moi qui suis d'une douceur comme c'est devenu rare. Elle me lâche, ma douceur, quand j'ai l'impression d'être seule à pouvoir dire : faux.

« On peut surtout s'étonner d'une percée aussi subite et spectaculaire. Les raisons en sont assez claires.

« Depuis plusieurs années, la rentrée littéraire pose problème : trop de romans, et une moyenne de qualité en baisse (*Le Point* nº 1406). Dans cette crise de surproduction, les moyens traditionnels de lancement d'un livre, par les attachés de presse, deviennent peu efficaces. Il faut trouver d'autres méthodes. L'éditeur Jean-Marc Roberts a permis à des journalistes de suivre le lancement interne du livre et a joué lui-même un rôle de super-attaché de presse, en se servant de tous les supports possibles : de *Livres Hebdo* jusqu'à LCI, pour créer une rumeur et cristalliser un effet de mode. »

Non.

« Christine Angot a-t-elle écrit un chef-d'œuvre ? Son livre n'est ni meilleur ni pire qu'un autre. On joue sa personnalité : excessive, agressive, tumultueuse et pythique, elle a pris des leçons d'emphase et de terrorisme chez Marguerite Duras. Il n'est pas question de jugement littéraire dans cette affaire, mais de surenchère, de mise en spectacle d'un tempérament. »

Faux. Je continue.

« Qu'une partie de la presse et des médias joue à ce numéro de show-biz pour faire monter la température et attirer l'attention semble être davantage la marque d'une crise que la recherche d'un grand écrivain. La critique littéraire est en passe de céder la place à un simple pilonnage de marketing. Affaire à suivre... »

Hier dimanche je faisais le guet dans la rue quand j'ai voulu sortir, comme j'ai peur dehors. Je me sens traquée. C'est lundi heureusement aujourd'hui, Jean-Marc m'a appelée. Les chiffres sont excellents, deux mille cent treize, et ça ne comprend pas, comme on pensait, l'office de la grande distribution LDS (Carrefour, supermarchés, maisons de la presse, relais Hachette). Il sera inclus dans les chiffres de la nuit de mardi à mercredi, on pourrait donc mercredi matin avoir un chiffre de trois mille cinq à quatre mille. Le rythme étant de mille cinq cents par jour, en moyenne, avec des plus, des moins. C'est la moyenne, c'est le rythme. Je lui ai dit : et sur la liste de *L'Express*, tu ne l'as pas encore ? Il l'avait depuis vendredi, il ne me le disait pas. On est huitième. Donc ça recule je lui ai dit, tu ne me le disais pas. C'est vrai, oui, je ne te le disais pas. Il faut que tu saches que la liste de *L'Express*, quand on n'y est pas classé c'est qu'on ne vend pas. Quand on est entre trois et douze ce sont des différences infimes, qui ne veulent rien dire, donc qui bougent, qui ne sont pas vraiment significatives, ça signifie des différences de cinquante à cent entre les livres. Chez Sauramps je dois faire une lecture, il n'est pas question que je me jette seule en pâture. Dominique a dit au Conservatoire « ne t'offre pas en pâture » à l'élève qui jouait Œdipe, « sinon tu vas leur donner matière à discussion, mais alors... » Elle a ajouté « c'est l'enquête qui commence. Sans les engueuler ». Elle parlait du chœur, sans engueuler le chœur. Œdipe a continué : J'aurais le cœur bien dur si je n'étais pas attendri de vous voir assis là comme cela. Qui viendra avec moi ? J'aimerais avoir dans la salle un protecteur au moins, dont je suis sûre. Parce que je ne peux pas comme hier sous la pluie, être aux aguets toute l'année. Il faudra que je trouve une solution. Le maire de Montpellier m'a choisie comme personnalité pour le journal de la ville, mais il ne se rend pas compte que dans sa ville je ne vais pas pouvoir y rester. Je ne vais pas pouvoir. Le débat s'articule, je le répète, pour ou contre moi. Patricia a aperçu Marie-Christine en vélo, avec paraît-il le visage défait. Elle m'a dit : la tête dans le guidon. Au moins ça sert à quelque chose si le visage se défait. S'oublie. Ce qui me remonte : les coups de fil à Jean-Marc, Damien, malheureusement, plusieurs jours que je ne l'ai pas eu, et ce matin Fabienne, qui s'occupe des droits, à l'étranger ils le demandent et il va y avoir de la concurrence. Einaudi a demandé le livre, depuis le mois de juillet, Fabienne lui a dit qu'il fallait la réponse vite, car il n'est pas le seul. Elle pense que tout ça va se concrétiser à Francfort, donc bientôt, du douze au dix-huit octobre, dans quelques semaines. Jean-Marc y sera le quatorze, et le quinze il nous rejoindra Damien et moi à Strasbourg, à la librairie Kléber, pour que je ne sois pas seule. Montpellier c'est dur d'être dans la rue, d'aller chercher Léonore à l'école, de les croiser toutes, et de me demander si je ne vais pas rencontrer Mathilde Monnier, j'ai une phrase toute prête si elle m'aborde : je t'ai écrit, attends ma lettre. Et le pire : quand j'aborde le quartier Laissac ou les cinémas le dimanche, et même le samedi, Marie-Christine, qui n'est jamais seule dans la rue. Et on ne se regardera pas, on fera comme si on ne se connaissait pas. *L'Événement du jeudi*. Retour des guerres littéraires ou opération marketing, L'affaire de Mme Angot, et il me traite de poissonnière. Je pue, dans le ventre de Paris, c'est moi qui tiens l'étal qui pue. Mais belle femme, comme sur les marchés il y en a, de belles poissardes. Une mésalliance en fait, un mariage entre la noblesse et la roture, comme dit Bruno Roy « elle incarne la dégénérescence des lettres ».

« Une certaine Mme Angot qui est à la littérature ce que l'opérette du même nom est à Mozart, une certaine même Angot s'est littéralement jetée sur les auteurs présents. »

Onze heures vingt, une certaine même Angot, il faut malheureusement qu'elle sorte. Léonore a rendez-vous chez l'orthophoniste pour les se et les ze. Il faut que je descende la rue Saint-Guilhem, que j'aille la chercher à l'école et que je l'emmène. Et que je me dépêche pour ne pas être en retard. Là-bas que je converse avec Mme Moulier, ensuite on verra.

J'ai eu Damien. Il m'a dit : c'est fluctuant et c'est normal. On a des grosses machines devant nous, d'Ormesson, Izzo, Nothomb et

Delerm, il faut voir que, quand nous on en sort trois mille dans la semaine, d'Ormesson c'est six mille. Mais sur la liste de *Elle*, je suis de nouveau cinquième, donc on ne peut pas savoir, ça dépend des libraires auxquelles les différents journaux s'adressent. Jean-Paul Hirsch lui-même, directeur commercial chez POL, s'étonne que Kaplan me dépasse. Car elle vend moins c'est sûr, *L'Inceste* vend plus que *Le Psychanalyste*. Je suis allée acheter *Elle* et des timbres, j'ai croisé Pascal au retour, qui m'a dit bonjour et ça va, d'un ton assez gentil, j'avoue. François Verret, c'est le contraire, plus un mot depuis la presse que j'ai. Pour des raisons éthiques. Dans tout ça, l'inceste... le vrai, le véritable, d'origine, celui de la vie, qui fait que je ne souffre pas la critique, on l'oublie. Aucune critique, je dis le vrai, je dis l'origine, je dis que je l'ai vu. Je l'ai vu, très peu l'ont vu, très peu écrivent quand ils l'ont vu, ils ne peuvent pas, c'est inécrivable, c'est invisible je l'ai vu. Je-l'ai-vu ! ! ! Trois points d'exclamation mérités là encore. Une chose complètement invisible, je suis une Jeanne d'Arc, une voyante. Je ne suis pas une poissonnière, je ne vends pas des poissons morts. Jean-Jacques m'a dit « c'est une histoire d'amour magnifique », j'en entends. D'Ormesson, Izzo, Nothomb et Delerm, et puis moi, je devrais être première, je devrais être la toute première. Le lundi ça va mieux, je sais que toute la journée je peux appeler Hélène, Jean-Marc, Damien, Catherine, Capucine, pour savoir. Si ça va.

Je suis cinquième sur la liste de *L'Express*, aujourd'hui malheureusement huitième, la semaine prochaine je le dirai quand on saura. J'appréhende la lecture chez Sauramps, la grande librairie de la ville. Moins chez Molière. C'est juste parce que je suis cinquième des ventes qu'on m'accueille chez Sauramps. Il y aura cent personnes, peut-être plus que je ne connaîtrai pas et qui vont m'agresser c'est sûr. Il faut que j'interdise qu'on m'adresse la parole en privé, après la lecture et la dispersion des gens, il faut absolument que j'empêche qu'on vienne me parler. C'est là, c'est à ce moment-là, désarmée, que je risque. Les gens venus voir le phénomène, comme ils disent dans *Elle* : la bête. Leur réflexion, leur lecture, leur avis, qu'ils le donnent en public c'est là que ça m'intéresse, devant tout le monde, sinon on sort des lois de la guerre. Ils entrent dans la guérilla quand ils viennent en privé, le terrorisme ceux qui viennent me parler. J'ai droit comme tout le monde à la protection des lois, j'écris devant tout le monde, qu'on me réponde devant tout le monde. Je ne peux rien dire quand il n'y a plus personne, c'est là toujours qu'ils nous chopent, quand on n'a plus de défense, quand le public

46

est parti, quand les protecteurs boivent un verre au bar, c'est là qu'ils viennent ceux qui ont un point de vue. À me faire partager. Quand les autres ont décidé de laisser faire finalement ils se détendent. Dominique a dit à l'élève qui jouait Œdipe à une table face au public, donc face à face, « sers-toi de cette tension pour souligner l'importance qu'il y a à dire la vérité devant tout le monde, à rechercher la vérité devant tout le monde, ce qui est une chose considérable ! » Et quelques minutes plus tard : « Il n'y a rien qui se dit derrière, tout se dit devant, devant, tout le monde. Tu vois ? »

On m'a demandé, souvent : Vous vivez pour écrire ? Dans *L'Inceste*, j'avais répondu ironiquement : « Guibert qui s'est injecté le sang exprès. Moi-même à quatorze ans, je voulais démarrer fort, j'ai pensé à l'inceste, j'ai séduit mon père. » En ce moment pour démarrer fort il suffit que je sorte. Dans la rue.

Il faut que j'allume l'ordinateur dès que je rentre. Tout ce qui passe. Si je ne l'écrivais pas. J'ai de la chance de savoir. J'aurais voulu rester cinquième, si possible monter. Et y rester. À la librairie André entrait, le mari de ma mère : je viens chercher comment ça s'appelle... sur l'archange Gabriel. Je posais mon vélo. Je lui ai montré la pile de d'Ormesson. Il m'a dit : ça m'intéresse à cause de son opinion sur Dieu. Il est athée, scientifique athée, ma mère est croyante, ça va rajouter une pièce au dossier. Il a été question de l'article de *Midi libre*, André a redit qu'il était positif. Allusion à la dispute avec ma mère qui ne voyait pas ce qu'avait la phrase de Detambel. Pourquoi j'étais dans cet état, pourquoi je prenais tout contre moi. Mais tu ne te rends pas compte, c'est : Pour ou contre Christine Angot. Christine Angot c'est moi. Tu ne te rends pas compte. Elle : Christine Angot, écrivain. C'était vendredi. Elle ne comprend pas, qu'elle téléphone à Claude ou à Frédéric, qu'ils lui expliquent. Je veux que des tiers s'en mêlent, s'impliquent, prennent, et me sauvent. Au moins un tiers. Ensuite, toujours à la librairie. Une femme entre, qui regarde les poches, lève la tête et dit : c'est pas le célèbre écrivain ? Elle montre *Interview* en Pocket, me demande mon préféré, par lequel commencer. Je lui suggère de choisir elle-même, puisqu'elle veut un Pocket *Interview* ou *Sujet Angot*. Un poche, me dit-elle, parce qu'il y a tellement d'écrivains dont on nous dit que c'est bien, les critiques sont fantastiques et j'arrive péniblement à la fin, je préfère prendre un poche et puis après je verrai. Mais vous, lequel vous préférez *Interview* ou *Sujet Angot*, elle prend les deux et me demande une dédicace puisque je suis là, elle ne s'y attendait pas, ce sera sa première, ça mettra en rage son collègue. Je le fais. Elle enchaîne pendant que je dédicace sur ses déceptions constantes, ses recherches constantes d'auteurs, de livres qui soient bons, ses inévitables déceptions, alors elle préfère acheter des poches, et après elle voit. Sauf le livre de Kennedy qui s'appelait comment déjà le meilleur qu'elle ait lu en des années, qui s'appelait comment déjà, comment déjà... Ça ne fait rien lui dit Fanette, ne cherchez pas. Mais si mais si. Et elle cherche, elle ouvre son sac, il était remarquable c'est bête le titre lui échappe là tout de suite. Mais il s'appelait, elle l'a noté, elle va retrouver. Elle est sûre qu'elle l'a noté là, là, dans ce carnet, elle se revoit, elle va retrouver. Non, ne cherchez pas, dit Fanette. Moi je ne dis rien, je sais que jusqu'au bout, elle n'aura de cesse, il faudra qu'elle le retrouve, jusqu'au bout, elle le retrouvera. Elle ne quittera pas la librairie sans avoir retrouvé le nom exact de l'auteur et le titre. Ça y est, elle l'a. Elle sort un Filofax de son sac, elle sait qu'il est là. Elle feuillette. Elle feuillette, elle est sûre, pas tout à fait mais presque. Elle est sûre de l'avoir noté là, elle chauffe, elle brûle, elle l'a. Kennedy, *L'homme qui voulait vivre*, elle l'avait noté pour sa belle-sœur, elle tenait à le retrouver parce qu'elle voudrait que Madame Angot le lise, il est formidable ce livre et alors très bien construit. Voilà, *L'homme qui voulait vivre*, c'est ça. C'est formidable. Et elle repart avec *Interview* et *Sujet Angot* sous le bras, elle nous dira. Puis, alors que je m'apprêtais à partir. Je dis à Fanette : je reviens demain pour les dates. Une femme à la caisse s'adresse à moi et me dit : j'ai lu votre livre. C'est un livre qui m'a... j'ai été obligée de... enfin c'est un livre, qui l'a... J'ai été obligée de : mettre une distance par rapport au voyeurisme, comme ça se passe à Montpellier... Enfin, je veux dire, j'ai été obligée de faire un travail. De distance. Par rapport au voyeurisme. Cette femme me traite devant tout le monde d'exhibitionniste, heureusement elle a pu faire un travail par rapport au voyeurisme. Je suis déjà sur mon vélo et je m'apprête à partir, mais je vais pleurer. Alors je fais demi-tour, je reviens et je me colle dans le petit renfoncement à côté de la caisse, derrière Fanette, j'attends que la femme soit partie, et j'explose, je pleure. Je dis que je ne supporte pas. Fanette me dit, si tu veux la lecture on ne la fait pas. Elle semble s'inquiéter : Comment faire ? Je comprends. Je comprends, moi-même ce qu'elle a dit ça m'agresse, alors toi je comprends. Comme disait Hélène c'est un vrai sujet romanesque. Et puis je suis partie, finalement, en riant, j'avais trouvé de quoi rire, une anecdote, celle de la veille sur Judith ou une autre, en tout cas bref je suis partie en riant. Il y avait eu aussi à la sortie de l'école l'air de Valérie, cette espèce de grimace-sourire. Et Patricia au café et les filles qui préparent les devoirs. Je rentre. Je travaille, dans la rue

Amboucque-d'Or j'ai trouvé l'exergue en marchant, je commence puis ça sonne, Claude est allé chercher Léonore. Qui n'a pas aimé la danse (le cours de danse), elle veut savoir si j'ai payé je dis oui. Mais ce n'est pas vrai. Elle pleure : ce n'est pas grave, je peux me faire rembourser. Je la prends dans mes bras. Elle me dit qu'elle veut retourner dans le cours de quand elle avait cinq ans, je lui dis oui. Très bonne idée, place Saint-Côme, bien sûr, c'est là, qu'est-ce que c'était bien, c'est là qu'il faut retourner, comme la femme était gentille, alors que là, les enfants couraient et s'arrêtaient tout d'un coup la jambe en l'air, elle trouve ça bête. Claude m'installe l'imprimante, on dîne ensemble, je lis. Il part, on se dit à demain, j'embrasse Léonore, je me couche tôt, à onze heures, je prends trois quarts de Lexomil, il faut que je dorme. Je m'endors. Je dors, je rêve. On sonne à la porte, il est minuit et demi, chez moi. J'ai une réaction de peur. Toutes les idées me traversent. En pleine nuit qui peut bien être là en bas ? Je ne réponds pas. Ça resonne. Je ne réponds pas car j'ai peur. Je téléphone à Claude. Il y a un signal d'appel, je le prends : « C'est Anne, Hélène m'a larguée, personne ne me croit, ma mère m'a téléphoné, le week-end a été horrible, j'ai offert votre livre à mon père, *L'Inceste*, j'avais surligné des phrases en rouge, ç'a été horrible. Ils avaient l'air de se demander pourquoi j'offrais ça, ils avaient l'air de trouver le cadeau de mauvais goût, c'était comme un mini-Festen, en réduit. Je vais me flinguer. Je suis en bas de chez vous. J'ai sonné. Je vais me flinguer. Hélène m'a larguée, ma mère me dit qu'il faut que j'aille me faire soigner. » Je lui demande si elle veut dormir ici chez moi et heureusement elle dit non. Elle crie non. Elle a bu. Elle prend des amphétamines et elle boit. Elle a perdu dix kilos en quinze jours. Hélène et sa mère ne comprennent pas. Et puis pas non plus sa boulimie de lecture. Elle dit qu'ils ne comprennent pas, ils ne comprennent rien, elle va se flinguer. Je lui dis d'aller dormir : j'ai pas envie. D'aller s'allonger : j'ai pas envie. Je lui téléphone demain, elle va se flinguer. Une heure au téléphone, je dormais, mon sommeil qui est tellement fragile, qui est mon trésor enfoui. La nuit m'empêche aujourd'hui de sortir. Hélène et ta mère, tu les jettes, tu les laisses tomber, elle m'avait dit oui d'accord et passé Jocelyne. Une copine dehors avec elle, en bas, dans ma rue, je n'aurais pas dû lui montrer que j'habitais là, elle n'a pas attendu, le lendemain elle sonne. Elle me dit que Marie-Christine elle ne comprend pas, physiquement je suis tellement mieux. Elle me dit vous parlez de son regard dans le livre, je ne comprends pas. Je regardais ses yeux, l'autre jour j'ai été invitée dans le même dîner, je ne comprends pas, elle ne comprend pas, elle la trouve moche, surtout par rapport à moi, elle ne comprend pas. Et puis elle ne la trouve pas du tout épanouie cette fille, elle était avec une fille un peu ronde pas très jolie. Jocelyne prend le téléphone. Vous vous rappelez, j'étais l'autre jour à l'anniversaire, mais oui oui bien sûr, je sais, alors voilà on est là, en bas, on allait au Martyn's et puis Anne a dit que vous habitiez là, elle a voulu sonner, on pensait bien que vu l'heure il ne fallait pas mais elle est très très mal, vu les livres que vous écrivez est-ce qu'on ne pourrait pas se rencontrer, un jour toutes les trois, vu les sujets que vous abordez. Je dis bien sûr mais je ne veux pas. Je lui dis : reste avec Anne ce soir, et puis demain si ça ne va pas, ne la laisse pas prendre la voiture pour aller travailler. C'est à Béziers, sur la route elle peut se tuer. Je lui demande de me repasser Anne, je lui dis bonne nuit, je lui dis à demain, je vais me coucher. Je reprends des comprimés, puis d'autres je ne me rendors pas, pourtant tout ça ne me concernait pas. Je pense à Marie-Christine, je me dis c'était la moins folle. Il y avait la folie avec elle maintenant c'est celle avec tout le monde qui me réveille la nuit. Et puis qu'est-ce qui s'est passé encore ? J'ai demandé à Claude de venir dormir et le réveil le lendemain matin et l'école. Et puis tout un tas de coups de téléphone. Jean-Marc, telle actrice célèbre aime mon livre, mes livres, elle est contente pour nous de ce qui se passe. Les chiffres. Alors, en baisse, 1 050 exemplaires ce matin, 547 pour la province et 503 Paris. Mais la moyenne reste quand même 1 500 par jour, ils ne comptabilisent pas tout dans la même journée, des notés d'hier seront dans les chiffres de demain, et puis le gros office LDS va arriver. Et puis j'ai décidé de partir en Louisiane avec les deux autres on va s'arranger pour ne pas se croiser, quand j'irai à La Nouvelle-Orléans, elles iront à Lafayette, vice versa, et à Baton Rouge. C'est loin et il paraît que c'est magnifique. Gil m'a dit somptueux. Lætitia m'a appelée, elle va me filmer. Vers deux heures moins le quart, j'avais du chocolat dans la bouche, Marie-Christine m'a appelée. Me disant je sais c'est un livre mais beaucoup de violence m'est renvoyée. Il va falloir que je libère un moment et que je l'écoute. Elle m'a dit : tout ce qui se passe. Je lui ai dit : Montpellier. Elle m'a dit : Oui mais on y habite.

Je vais essayer de tenir l'année et puis je m'en vais. Je veux me débarrasser de cette ville. Je veux la quitter, et ne plus jamais en entendre parler. Arnaud Viviant m'a appelée : de toute façon ne t'inquiète pas ça va retomber. 1 050 un mardi matin si ça continue je vais être cinquantième des ventes. Grandeur et décadence, silence, grandeur, et puis décadence. Excitation et excitation, joie et joie, et puis déception et déception et déception et déception, et déception encore, et déception,

déception, déception, déception. Déception. Et encore et toujours, déception comme d'habitude. 1 136, mercredi matin, on est loin des 1 500 de moyenne, annoncés, prévus, qu'on m'a fait croire, on m'a assurée que c'était difficile de comptabiliser. C'est toute cette presse grossière qui fait chuter. Le tirage total est de 50 000 sans compter les couvertures prêtes. 27 529, aujourd'hui 22 septembre. Et il faut que je téléphone à Marie-Christine pour lui donner un rendez-vous, je ne sais pas entre ce soir et demain après-midi, j'ai envie que ce soit fait, en même temps j'hésite. Je ne me sens pas forte pas glorieuse, on recule sur la liste. Il me faudrait une nouvelle géniale, quelque chose qui me bluffe moi-même, comme la vitrine de Rykiel même si on n'a jamais vu les livres, et qu'on a cessé de les attendre au bout d'un moment. Elle les avait demandés début septembre, en fait elle ne les a jamais mis. 1 136, ce n'est pas extraordinaire. Il y a quelques jours 2 000 mais qu'est-ce qu'on chute. C'est le travail de sape qui joue, c'est ça ils y arrivent. Les lignes ennemies reviennent. Les lignes ennemies, ça y est, ont repris du poil de la bête. Aujourd'hui mercredi 22 septembre, un grand supplément, plusieurs pages, un document, dans *Télérama*, rentrée littéraire. Catherine : ne pleure pas, ça ne vaut pas la peine, ce sont des cons. Et Jean-Paul : il faut vous blinder Christine. Je vais écrire là-dessus,

Catherine m'a dit que ça ne valait pas la peine. J'écris sur ce qui pourrait m'empêcher de continuer. Je sais ce n'est rien. Ma mère dirait : mais ce n'est rien. Catherine m'a dit : ce n'est rien, c'est con, c'est tout, n'y prête pas attention. Jean-Paul m'a dit : il n'y a que les cons pour y prêter attention, moi Christine, je connais beaucoup de gens intelligents qui aiment beaucoup votre livre. Je l'écris parce que j'ai décidé d'écrire la vie d'enfer que vous nous faites mener. Je l'ai dit dès le début que j'allais faire ça. Je le fais. Même si ça ne vaut pas la peine. Même si « bois un petit whisky c'est pas grave », même si « Christine, il faut vous blinder », même si ce sont des cons, même si ça va continuer.

Télérama. « Les jeux du cirque littéraire », par Martine Laval et Catherine Portevin. Extraits :

« La recette se prépare des mois à l'avance... »

« ... pour les romanciers, un accès au panthéon... même provisoire, même illusoire. »

Je cite les phrases blessantes mais l'ensemble est coupable. Ce n'est pas la peine d'en parler dit tout le monde. Leur ton abject, il faudrait le laisser se propager, gagner, sans relever. J'ai du mal. La haine des écrivains, jamais je ne vous laisserai moi vivante m'écraser comme une fourmi sous votre talon de corne. C'est de la peau morte. *Télérama* m'a fait pleurer, ça ne vaut pas la peine, oui, je sais, c'est vrai. Ils ont essayé d'entamer ma confiance en Jean-Marc, ils ont essayé de me faire entendre qu'il ne m'aimait pas, que j'étais là juste pour septembre parce que les photos de John Foley étaient réussies, et que Jean-Marc préférait François Emmanuel qui sortira en janvier. Mais je continuerai d'y aller à la télé, et je continuerai sur les photos d'être belle encore quelques années. J'ai passé la soirée d'hier à pleurer. Ils ont gagné, mais pas la guerre, juste la bataille du 22 septembre 1999.

« ... sous le terme " intéressant " des qualités fort diverses : entre autres le profil jeune femme un peu tapée ou torturée...

« Si, de surcroît, la presse s'empare du phénomène, qu'elle crie au génie ou qu'elle assassine, c'est l'entrée dans le club fort prisé des écrivains capables de toucher à la fois les lecteurs, la critique et les rubriques Société. On cherche le coup. Les réussites inattendues de Marie Darrieussecq, Marie Desplechin, Daniel Picouly naguère, celle, plus orchestrée, de Michel Houellebecq l'an dernier, celle, prévisible, de Christine Angot, actuellement, ont inauguré la seconde foire d'empoigne de la rentrée littéraire : communiquer en jouant la provocation est la recette éternelle, la plus efficace, qui s'appuie sur des personnalités fortes en gueule et des livres qui frappent à l'estomac. »

Pas bégueule, forte en gueule, la poissonnière, la fille de Mme Angot, pas la plus élégante mais qui gueule, sans complexe et forte en gueule, oui c'est peut-être fini votre petit cercle d'amis, peut-être, peut-être que oui, que ça se termine, tout doucement. Il va peut-être falloir réviser légèrement votre stratégie pour continuer d'exister, et de nous faire avaler, pas à moi, la pilule que vous êtes autre chose que des gens bien placés. Et vous nous faites des leçons de fric. À moi. Vous nous faites vraiment des leçons de fric ? Ça ne vaut pas la peine d'en parler ? Ça ne vaut pas la peine de s'énerver ? Vous allez dire que je recopie des articles, vous aurez raison. C'est ça mon écriture, recopier ce que vous dites, que ça revienne. Ça vous revient aux oreilles comme ça vos propres paroles. Encore, et là maintenant bouquet final :

« Propose-t-on le *nec plus ultra* ? Pas sûr, pas partout... Jean-Marc Roberts, aujourd'hui pdg des éditions Stock, admet qu'il préfère réserver pour janvier 2000 la sortie du prochain roman de François Emmanuel, le " livre le plus important de ma vie, s'enflamme-t-il. Soit il aurait été étouffé, soit il aurait écrasé tous les autres ". Évidemment : il fallait laisser place nette à " sa " turbulente Christine Angot. »

Jean-Marc utilise la poissonnière que je suis. Le livre de sa vie sortira en janvier, il est beaucoup trop fort pour moi, en septembre il m'aurait écrasée *La Question humaine*. J'aurais été écrasée avec les autres anonymes de la rentrée, par ce titre, parce que un coup médiatique et un sujet de société ne résistent tout de même pas aux vrais livres, qui m'écrasent, ça m'aurait écrasé, Jean-Marc lui-même l'a pensé. J'aurais été étouffée par le livre de sa vie, que je ne suis quand même pas, faut se calmer. Je suis un coup médiatique et un bon coup, Jean-Marc le pense, comme mon père à l'époque. Rien de nouveau sous le soleil. Et ça s'étale dans la presse : Christine Angot, la poissonnière, est un bon coup. À *Télérama*, journal catholique, on n'aime pas les putes. Le souteneur lui-même fait la différence entre sa femme et sa pute. Jean-Marc lui-même fait la différence entre *La Question humaine* et *L'Inceste*. La presse se déchaîne, *Télérama* décrypte.

« À la mi-août se dessine déjà la liste des dix ou quinze titres dont on va parler. » Dans un classement « à la louche, valeurs sûres, premiers romans », ils m'ont mise dans à la louche à côté de Reza et Nothomb. Je devrais m'en foutre. Je devrais aller me promener, je devrais aller au cinéma, je devrais aller m'acheter des fringues chez Agnès b. pour la prochaine photo que je vais faire, Messina, John Foley, David Balicki, ou Mondino, carrément, et je vais faire du cinéma, et je ne plaisante pas. Avec Lætitia. Masson. Je restais encore deux nuits sans sommeil, si je n'avais pas pu écrire ce qui précède, qui ne vaut pas la peine, mais j'aurais peut-être quitté Jean-Marc. Pour n'importe lequel qui aurait accepté de me prendre.

La maison est en état de choc, en sortant de réunion Jean-Marc m'a dit : par leur mauvaise foi, leur perversité, toute la maison est complètement choquée. Monique Nemer a dit : pour écrire sur le livre de Christine, il faut travailler. On ne peut pas régler le problème comme ça, quand on ne travaille pas. Mais ça ne vaut peut-être pas la peine d'en rajouter. On a sorti 29 529 exemplaires et il y en a 50 000 de tirés. Un tirage de 50 000 ce n'est quand même pas n'importe quoi pour je rappelle le titre : *L'Inceste*. On le trouve dans les relais Hachette, les aéroports, les maisons de la presse, quand vous allez acheter vos cigarettes, les gares, en piles dans les librairies, et cette fois, pour une fois, en dix ans que je publie, pas derrière les toutes dernières colonnes, pas un seul exemplaire en rayon ou aucun, non, en tête de gondole, devant, on ne le rate pas et la pile est même bien haute. Et en plus elle sourit sur le bandeau du livre, je veux pleurer sur le prochain. Pleurer. Quitter la ville, ce n'est pas de gaieté de cœur, Léonore y a toutes ses copines, son père, ses grands-parents, tout son univers est là, pleurer parce que ça n'est plus tenable, d'être réveillée à une heure du matin, et le lendemain de ne pas pouvoir aller pleurer dans la maison Stock qui est ma maison, qui est devenue ma maison, la seule, de vie privée je n'en ai plus, de toit, si j'en ai jamais eu. Je leur fais gagner de l'argent, moi. Moi, je fais gagner de l'argent à une maison. Solide, ancienne, la plus ancienne. Qui a une histoire. Grâce à mes souffrances parce que j'arrive toujours à en faire des joies, et des excitations.

Ça remonte, jeudi 23, jour de l'automne, 1 562. La commande LDS n'a toujours pas été comptabilisée, donc c'est bien. Ça remonte correctement là. Heureusement parce que hier j'ai encore fait une mauvaise rencontre, je passe à la librairie Molière, pour déterminer enfin la date, j'étais pressée j'avais rendez-vous avec l'acupuncteur, j'étais avec ma mère, la librairie était pleine, il fallait que ce soit du rapide, arrive celle qui l'autre jour voulait me faire lire *L'homme qui voulait vivre* de Kennedy, dont elle avait recopié le titre sur un post-it pour sa belle-sœur. Celle qui avait acheté en poche pour ne pas prendre de risque, *Interview* et *Sujet Angot*, l'après-midi qui avait précédé la nuit du coup de sonnette à une heure « je veux me flinguer, Hélène m'a larguée, ma mère ne me comprend pas, j'ai offert votre livre à mon père, j'avais surligné des passages, ça a fait un mini-Festen... », arrive celle qui était tout le temps déçue comparativement aux articles dithyrambiques, et pourtant elle lit, elle cherche ; à part *L'homme qui voulait vivre*, ça fait des années qu'elle n'a rien trouvé qui l'a passionnée. Elle cherche dans son Filofax parce qu'elle voudrait que Mme Angot le lise, il est très bien et très bien construit, c'était lundi après-midi, hier elle me revoit, elle est sur le seuil, la librairie est pleine, elle me voit : ça y est, j'en ai lu un, c'est pas mal. Je souris. Mais faudra changer de sujet. Je lui dis : taisez-vous. Je lui dis : grosse conne. Je lui dis partez. Tout de suite. Immédiatement. Vous partez immédiatement. Et je répète, grosse conne. Et je me tourne vers les autres, et je dis : je ne supporte plus, je ne les supporte pas. Elle revient, je la pousse, elle résiste. Je la tourne et je la pousse dans le dos et cette fois elle sort. Et je retourne vers l'intérieur de la librairie, où Fanette m'a dit « calme-toi », et je leur dis : Je ne supporte pas. Je ne les supporte plus. Du tout. Et je dis à Fanette : Fais attention, le jour de la lecture, je vais en tuer un. Je sens en moi que je peux. Et je le dis devant eux les autres lecteurs, qui ne disent rien. Et heureusement là. Dans la tragédie antique, le chœur parlait. Dominique a dit : Plus tu parles, plus tu t'éclaircis, plus ça s'ouvre, c'est ça qui va produire le tragique. Je respire, je me plie en deux, je me fiche complètement d'autour, et ma mère m'accompagne jusque chez l'acupuncteur, qui trouve mon pouls très très profond, comme toujours en excès de yin et en excès de yang, les deux, c'est cela qui est un peu difficile pour lui, il essaye de me disperser, il évite de trop me tonifier.

Maintenant le plus privé de la journée que j'avais promis à l'intéressée de ne pas raconter mais Kafka a dit : Dieu ne veut pas que j'écrive mais moi je dois. Elle m'a demandé de protéger son intimité avec insistance. Je prends une phrase de Sophocle, dans *Œdipe Roi* je peux, dans la bouche d'Œdipe il s'adresse au chœur, c'est dans le domaine public : « Car votre souffrance à vous, elle ne touche qu'un seul homme, chacun séparément, et personne d'autre. Mon âme à moi pleure en même temps sur la ville. » Puis Dominique a dit : « Revenir à l'enquête. »

Marie-Christine en avait marre du brouhaha, elle avait envie d'être sans intermédiaire face à moi. Elle en avait marre d'entendre dire que c'était génial ou dégueulasse, que certains lui disent de faire un procès, d'autres qu'elle devrait être fière. Au début elle ne voulait pas le lire. Mais on l'interrogeait sur la véracité des passages, comment elle avait pu le supporter, ça, ou ça. Elle se l'est donc fait prêter. Elle a trouvé certains passages magnifiques, d'autres lui ont fait une grande violence, elle aimerait pouvoir en parler si je suis d'accord.

Bien sûr que je suis d'accord. Dans cette connerie de ville bien sûr que j'ai envie de la retrouver. Je raccroche le téléphone et je dis : je l'aime. Me trompant encore. Et on se voit, on s'est donné rendez-vous dans un restaurant, j'y arrive en paix, après l'acupuncteur. Elle arrive. Elle n'a jamais été belle. Petit à petit elle m'émeut. Elle m'émouvra toujours petit à petit. Elle me raccompagne chez moi, elle me dit : on est fortes ensemble quand même, tu ne trouves pas ? On est fortes d'être là, après tout ce qui s'est passé et après ce livre, qu'est-ce qu'on est fortes. Je suis d'accord à ce moment-là, je lui dis oui on est fortes, c'est moi qui ai écrit le livre je l'oublie à ce moment-là, je lui dis : c'est bien que tu m'aies appelée, tu n'es pas lâche. Elle me dit : non, je ne suis pas lâche, mais je ne suis pas courageuse. Elle m'a dit : je pense que tu devrais quitter Montpellier, cette ville de petits-bourgeois, quitte-la, tu peux. Moi aussi j'aurais dû mais il est trop tard. Va faire ta vie ailleurs, tu as ta vie à mener. Je t'assure que tu devrais partir, pas n'importe comment, pas tout de suite, mais penses-y.

1 562 ce matin, c'est bien ça remonte. D'autant que les commandes LDS ne sont pas encore comptabilisées. Il paraît que Télérama a fait vendre en fait. Ça peut rendre agressif d'être complètement privé de vie, d'avoir

l'écriture qui gangrène tout le reste, en dehors des moments de joie ça peut rendre triste. Ce n'est pas mal 1 562. C'est bien. J'ai dit à Marie-Christine que j'étais cinquième des ventes. Elle m'a dit qu'elle était très contente pour moi mais qu'elle ne le disait à personne parce que, sinon, tout le monde dirait qu'elle est folle. Il faut oublier cette histoire, il faut penser à *L'Express*, à LDS et à l'avenir possible, et à toutes les choses que j'ai à faire, ma lecture du 28, l'avion que je dois réserver, celle du 30, celle du 8, puis fixer la date, enfin, pour Molière, puis penser à la lecture de Strasbourg, puis celle du 22 à Pause-Lecture. Et je vais en Louisiane, début novembre. C'est bien.

Je suis invitée à *Ça se discute* sur la pudeur. À *Noir sur Blanc* de Thierry Ardisson sur Paris Première et à une autre émission de Paris Première. Hélène a tout refusé pour l'instant. J'ai dit cinquième à Marie-Christine, je n'ai pas dit qu'en fait on est redescendu huitième. Parce que j'espère qu'on va reprendre notre place la semaine prochaine. On ne se parlait plus, on ne se disait pas bonjour dans la rue. Du jour au lendemain, elle me dit qu'elle n'est pas détachée de moi, qu'elle ne le sera jamais, qu'elle est plus ou moins, là, avec quelqu'un, qu'elle n'aime pas. Qu'elle m'aime moi. Je te l'avais dit que tu étais ma dernière chance. Elle m'avait dit qu'elle voulait explorer le monde avec moi. Elle ne le dit pas, sauf là à moi. Elle est heureuse de m'avoir vue, ensuite je n'ai pas cessé de pleurer. La force que j'ai cinquième des ventes, ou à *Bouillon de Culture* ou dans des lectures, je n'en ai plus, depuis qu'elle m'a dit ça. Elle m'enlève ma force. Jusqu'au coup de fil avec Karim. Il m'a dit : ne te laisse pas affaiblir par tous ces parasites. Je lui ai demandé s'il parlait aussi de Marie-Christine, quand même émouvante. Il m'a dit : oui, aussi. À elle, à la fille de une heure du matin, qui te réveille, aux gens dans la rue, fuis, n'écoute rien, va-t'en. Fuis toutes ces phrases, fuis tous ces gens. Il a raison il faut que je fuie tout ça, ça m'enlève la force. Il faut que je la garde intacte pour quitter la ville. Je ne suis pas vieille. Le compte à rebours n'a pas commencé. Si je rate l'amour, je peux faire autre chose. Je devrais mais c'est impossible, l'amour c'est important. Mais c'est une évidence je n'y arrive pas. Je ne peux pas me battre contre ces évidences. Qui sait ? Qui sait ce qui se cache dans l'avenir ? Ce n'est pas l'objet de ce livre. Peut-être que je ne raterai pas l'amour. Ce n'est pas l'objet de ce livre mais j'ai commencé autre chose où j'en parle. Là c'est quitter la ville. Je vais quitter la ville, et je vais revenir au passé. Car je ne l'ai jamais fait. Jamais dans les autres livres, je n'ai pas dit comment ça avait commencé. Je vais le faire par ville dans l'ordre.

Hélène m'a dit : tu as passé la barre des 30 000, 30 148. Même si les chiffres de la journée ont légèrement baissé. C'est bien tu sais, tu t'en rends compte ? Je ne sais pas, moi j'étais plutôt habituée à 148 avant. Je comprends mal, en fait je ne comprends pas, j'ai demandé à Frédéric. Pourquoi on a passé 30 000 alors que, en moyenne, les chiffres sont plus bas que la semaine dernière. La semaine dernière c'était 1 500 de moyenne, là c'est 1 000, les libraires vendent moins. Ils commanderaient plus sinon. Et pourquoi on a passé 30 000, alors ? Frédéric m'a dit : Les libraires ont un stock, ou font des stocks je ne sais pas d'ailleurs, je ne suis pas spécialiste, ils font des provisions, voilà et puis ils attendent tranquillement que ça s'écoule avant de recommander, il y a des variations, et c'est mieux que les grosses commandes des chaînes qui te reviennent en pleine gueule. Il pensait à la grande distribution, LDS. Moi : Sois honnête, s'ils commandent moins ça veut dire qu'ils vendent moins. Lui : Mais ce n'est pas ça, je ne sais pas comment te dire. Les libraires commandent beaucoup, ils ont eu une forte mise en place, la presse a fait le reste et donc ils ont commandé largement, ils attendent. Les chiffres que tu as sont des chiffres de commande. Au début Damien me disait, ça double, ils vendent plus qu'ils ne commandent. Là c'est l'inverse donc ne me dis pas de bêtises ils vendent moins qu'ils ne commandent c'est tout. Mais non, ils ont trouvé leur rythme de vente. Ah bon. Là, ce qu'il venait de dire, le rythme de vente, ils ont trouvé leur rythme de vente, ça m'avait touchée, j'étais convaincue, le rythme de vente je comprenais. Mais tu sais ils commandent beaucoup, ils ont commandé trente mille, peut-être qu'ils n'ont vendu que mille. C'était pour plaisanter.

Ce matin, lundi, Hélène : les chiffres sont faibles mais c'est normal c'est la fin du mois, 894. Quoi la fin du moins, à la fin du mois ils ont moins d'argent ? Oui c'est ça ce sont des problèmes de trésorerie, à la fin du mois c'est toujours comme ça. Ce matin ça allait plus ou moins, ça ne m'a pas affectée, même la mauvaise nouvelle, à propos de *L'Express*, d'ailleurs je m'en doutais, ne m'a pas affectée. La mauvaise nouvelle c'est que l'article dans *L'Express* ne paraîtra sans doute jamais. On se doute pourquoi, plus ou moins, mais tant pis, il vaut mieux ne pas insister. Il y a *Cosmo* ce matin, *Le Magazine littéraire*, mais elle n'a pas lu, et *Le Figaro Magazine*, qui n'est pas bien mais ce n'est pas grave. Et puis demain je pars à Paris, 28 septembre, je vais arriver très très juste pour ma lecture, ça ira, je prendrai une douche, je me changerai et j'irai. J'ai un peu peur d'aller à Paris, à cause d'un coup de fil hier, et même, à cause du public, je suis fatiguée parfois d'être face à lui, mais je ne renoncerai pas. Ça va ce matin, grâce à la directrice de l'école, qui m'a dit qu'elle avait lu mon livre, et que ma fille avait de la chance, que je l'aimais. Après j'ai réglé en une heure plein de coups de fil, plein de réservations, d'avion et d'hôtel, presque jusqu'à la fin du mois d'octobre. J'ai eu Nîmes, je leur ai dit que je voulais une chambre avec un grand lit et sur le jardin, tout s'est bien passé, ils veulent bien que j'aille au Métropole. Tout va bien. Si ce n'est me calmer pour ne pas téléphoner, elle n'aurait jamais dû m'appeler, ça me met dans un état où tout pourrait repartir. Ça ne doit pas. Alors hier j'ai téléphoné à un de ceux qui m'écrivent. Je vais le voir. Celui qui a recopié *she's an artist, she don't look back*. Erreur, ils ne font que recopier, ils font semblant de comprendre. Dylan, tout ce qu'ils sont capables de faire c'est l'applaudir.

J'adore attendre le courrier, j'adore attendre le téléphone, j'adore attendre quelque chose, au printemps Jean-Marc m'avait dit : le téléphone va beaucoup sonner, ça commençait. Je surveille le facteur, j'ouvre la fenêtre, jusqu'à prendre froid. Je me penche toutes les cinq minutes trois ou quatre fois, pour voir où il est, et où il en est, et pour entendre, où il est. Mais c'est déception et déception souvent comme j'ai dit. Ça, on ne me l'avait jamais fait. J'ai reçu une lettre, de Montpellier, un type qui vient de s'installer et qui sent qu'il a des choses à dire. Il me demande si je sais où il peut se procurer une machine à écrire, et même éventuellement si je n'en aurais pas une à lui prêter. Au téléphone hier soir, celui des lettres m'a dit : attention Paris c'est Babylone la ville de toutes les tentations. Le facteur vient de poser son vélo sur le mur d'en face. Il y aura comme vendredi une lettre de fou, ou plusieurs. Peut-être rien. De toute façon un jour plus rien. Plus personne, la presse retombée, les chiffres zéro, les bonnes semaines, trois. Un jour zéro, la presse retombée et personne qui appelle. Comme m'a dit Jean-Marc : nous, on reste dans notre merde. Extraits : « J'ai refermé votre livre de force, sur la photo souriante du bandeau, mon marque-page, je me suis dit que c'était un monstre. Qu'il me bouffait littéralement, qu'il ne me lâchait pas, qu'il refusait de me laisser partir. Le claquement des mots, et je pensais à votre langue à *Bouillon de Culture*, le rythme saccadé des phrases. À l'image de votre lecture ou de celle à laquelle nous avons assisté en Avignon, la perte du souffle jusqu'à l'étouffement. J'ai réussi à m'arracher le livre, je transpirais, je l'ai posé à côté de moi, pas loin, j'ai arrêté, j'ai pensé à vous, à ce que je vous en dirais à la fin, fidèle, régulier, et puis je me suis demandé pourquoi attendre, pourquoi ne pas parler de ce que je ressentais, là, de façon excessive, au fil des premières pages. Vous avez dit à la télé que

" le lecteur n'avait aucun droit, qu'il n'avait rien à attendre de l'écrivain ", phrase reprise aujourd'hui dans les *Inrocks*. Est-ce que la réciproque est vraie ? Je vous embrasse. »

« Bonjour Mme Angot.

Bravo, je viens de lire *L'Inceste*. Ça m'a plu.

Je suis amoureux d'une fille qui a dû connaître l'inceste ; de près ou de loin. Je n'en parle pas directement avec elle.

Je suis amoureux et elle ne veut pas de moi.

J'ai mangé votre livre pendant une période de manque d'amour que vous décrivez si bien.

Je vous remercie pour cette émotion.

Je crois que je plains cette fille. Mais j'en suis gravement amoureux.

Toutes les phrases commencent par je mais c'est vous qui avez déclenché cette première lettre à un auteur.

J'ai l'impression d'avoir appris quelque chose.

Portez-vous bien.

Je vous laisse mon adresse... pour dire. »

« Jean Leclerc, agrégé de l'Université, docteur ès Lettres, a été séduit par votre passage chez Bernard Pivot. Si vous foudroyez des éditeurs, il vous arrive aussi de sourire agréablement. Deux choses ont retenu mon attention : la révolte nécessaire de l'intellectuel (on se souvient d'Albert Camus en son temps) et la contrainte d'écrire (de la servitude volontaire).

Toute ma vie a été dominée par les livres,

j'en suis environné, les achète tous les jours et ne pourrai jamais les lire au cours de mon séjour sur terre. Ceci me ramène un peu à votre besoin irrépressible d'écrire au péril de votre vie...,

Auriez-vous le temps d'échanger quelques lignes avec moi ?

Hommages respectueux. »

Un autre, la lettre et le PS, à la main : « Accepteriez-vous de me conseiller, parmi les ouvrages que vous avez écrits, celui que vous jugez comme le meilleur ? »

« Madame, Je n'ai jamais lu de livre de vous. Toutefois ayant écouté l'émission de Bernard Pivot et aujourd'hui l'article dans le *Midi libre* de Sophie Guiraud ; je vous confirme mon soutien vis-à-vis de monsieur Jean-Marie Laclavetine qui attend que vous écriviez quelque " chose " qui lui plaise. Connaît-il les artistes ou les écrivains ce monsieur, j'en doute ! ! Un rigolo ! ! ! à fanions ! Peut-être à MORPIONS. »

Je suis rentrée hier de Paris. Je n'en pouvais plus. Je suis rentrée en me disant : avec l'argent il vaudrait peut-être mieux que je m'achète à Montpellier un appartement avec une grande terrasse ou un petit jardin, j'en ai parlé à Léonore ce matin, elle résiste, elle ne veut pas qu'on s'éloigne trop de Claude, je lui ai promis. Elle dit qu'à Paris il y a trop de bruit, elle aime Montpellier. Pourquoi pas ? De toute façon, la violence, la brutalité, m'ont choquée cette fois-ci à Paris. De toute façon la solitude est la même. Que ce soit Paris ou Montpellier. À Montpellier je pourrais au moins avoir un jardin, j'aurai moins besoin de sortir, je pourrai inviter les rares amis. Je ne suis plus sûre d'avoir tellement envie de quitter la ville. Il faudrait simplement que j'achète un ordinateur portable pour l'hôtel. J'ai été obligée d'arracher des pages du carnet de Frédéric pour écrire ; alors qu'à Paris jamais d'habitude. Alors que d'habitude ça va, les agressions, là, ont été quotidiennes, lettres, téléphone, visite, et puis absence d'amour, en ce moment je n'aime pas leurs dragues. Beaucoup de gens m'affaiblissent. D'où l'idée qui vient de naître, du jardin, seule. Samedi soir rue de la Roquette, dans un café, rue de la Roquette, La Bastille, à côté du théâtre, j'attendais pour voir par Jean-Quentin Châtelain *Premier amour*. J'étais avec Frédéric assise sur la banquette.

Aujourd'hui les chiffres. Hélène m'a dit : ça continue de bien marcher : 962, Damien a dit qu'on avait passé la barre des 40. Des 40 000. Et Jean-Marc ce matin à qui je disais toutes les violences. M'a dit : si tout va bien, t'as pas fini, on en a pour quarante ans comme ça, alors attention. Il disait : c'est monstrueux, à tout ce que je racontais. C'était la même chose que samedi soir à Frédéric, et je n'avais pas encore tout eu, je n'avais pas eu encore le message de Guillaume, ni les coups de fil du retour, ni surtout la lettre horrible. Toutes les violences je sens que je vais avoir du mal. Comment faire comprendre ? À tous ceux qui ne voient pas on ne peut que raconter, c'est tout. Ils ne comprendront peut-être pas. Comme Emmanuel hier : c'est à ce point-là ? Incrédule et en même temps qui riait, chez lui boulevard Voltaire derrière ses vitres. Comment commencer ? Par la fin ou par le début, par le début quand je suis arrivée à l'hôtel mardi et suivre l'ordre chronologique, ou par la fin, la lettre atroce, j'ai appelé en continuant d'écrire Marie-Christine, Emmanuel, Frédéric, Claude est en Turquie, il me manque. Claude, tu me manques. Marie-Christine pleure, c'est tout, dans les bras hier d'une consolatrice un peu ronde, d'où sortent des phrases mesurées, une blonde frisée qui sculpte des petites vaches, titre de l'exposition *Pas folle la vache*. J'ai vu le carton. Le fantasme d'un côté (amour impossible) de l'autre pas folle. Association, j'associe parfois encore. Mais je ne suis pas folle, oh, la la. C'était dans le dernier livre ça. Non non, je ne suis pas folle. Pas plus que je ne suis un chien. À la fin de *L'Inceste*, j'écris « C'est terrible d'être un chien », pour les chiens, il y en a, les réactions le prouvent. Il y a quelque chose, de terrible, de fou je ne sais pas, mais de sordide. Dans la société, je n'en fais pas partie, je ne sais pas pourquoi, je ne sais pas encore pourquoi. Je ne suis pas mouillée dans ce cloaque, j'ai mon statut d'Œdipe, les yeux bandés sortie de la ville, mais pas sale au moins, pas chienne, au moins intègre. Je ne vous tiendrai donc pas la patte. Les yeux bandés peut-être, sortie de la ville, peut-être, mais vous êtes fous. Je vais le raconter. Il n'y en a pas un pour racheter l'autre. Vous êtes tous plus nuls les uns que les autres. Je m'exclus, oui je m'en exclus, d'ailleurs il y a un type qui l'a écrit, dans le journal de Dieppe. Noir sur blanc, *Les Informations dieppoises*, 24-9-99, Yves Dolé écrit et il a raison : Elle creuse de livre en livre avec une belle énergie un sillon bien délimité : échapper au COL-LECTIF !... Tendre le plus possible vers la limite rugueuse de sa réalité sensible, immédiate, celle qui n'est pas voilée par la langue de tous, donc de personne. Travail sacré. Genet dit qu'écrire c'est lever toutes les censures : on y est. Inutile d'expliquer ici quoi que ce soit. Il suffit de montrer le livre. De dire qu'il existe et que le lecteur ne peut que s'y retrouver puisque la liberté chèrement gagnée par un auteur rejaillit sur son lecteur. Plus loin : Dure, drôle, futée, chaque phrase nous dit dans le même temps « merde » et « je vous aime ». La vie quoi. Ce livre ne peut pas laisser froid ou bien vous êtes déjà mort et vous ne le savez pas (c'est possible). C'est Yves Dolé qui le dit, ce n'est pas moi, quel intérêt a-t-il ? Il n'a pas comme Jean-Marc un intérêt commercial, ni comme Pivot un intérêt Audimat si je reprends vos logiques. Il faut que vous croyiez quelque chose. Il faut que vous ayez une position. Vous ne pouvez pas rester éternellement dans la société comme ça. Ça doit être insupportable. Je ne vous demande pas de quitter la ville ni de vous bander les yeux. Mais juste de me croire, ce n'est pas compliqué, mes livres ne sont pas compliqués, ce n'est pas comme Lydie Salvayre le dictionnaire toutes les trois pages, son mari m'a saluée de sa part, jeudi 30 à La Hune où il y avait une signature. Une réunion de plusieurs auteurs et les éditeurs qui passaient. Qui me regardaient d'un sale œil. Surtout Grasset. Comment je le sais ? Parce que j'aime bien Anne Garréta, et elle me raconte des trucs, les Grasset ne se méfient pas, ils ne savent pas qu'on se parle Anne Garréta et moi, on est tellement différentes, elle a l'air tellement intelligente et moi, à la fête Stock, Nina Bouraoui m'a dit petit lutin. Elle est tellement blonde et moi brune, tellement cosmopolite et moi incapable de quitter cette ville abrutie où je vais encore me faire lyncher mardi, lecture, chez Molière, avec la télé, TF1 qui vient filmer, demain. Je suis fatiguée rien qu'à la pensée. Elle est tellement Sarraute et moi Duras tendance Villemin, « je t'aime... je pleure, tu me tues, quel événement » vous me tuez tendance Angot. Anne Garréta m'a dit, elle le tient de Claude Delator, son attachée de presse, qui fait la pluie et le beau temps, ou qui faisait, une châtain toujours en tailleur, qui a dit à Jean-Marc quand on a eu *Libé* « tu tapines bien ». Parce que je couche avec Jean-Marc, ça je vous l'ai dit on le dit. Au point que Nathalie, sa femme, arrivant jeudi à La Hune, et elle s'est fait couper les cheveux, quelqu'un de l'édition, une femme, je ne sais plus qui, une Marie-Françoise quelconque, du milieu, voit Nathalie et lui dit : tu t'es fait un look à la Angot. Jean-Marc m'a dit : tu vois jusqu'où ça va. Ça va jusque-là mais ça vous paraît rien, il va falloir que j'en écrive des kilos pour que ça commence à vous paraître quelque chose. Peut-être. Peut-être. Peut-être que quand j'en aurai écrit des kilos, vous commencerez à vous dire : peut-être tiens. Mais jamais au fond, jamais sincèrement sauf quelques-uns d'entre vous qui sont bien, dont j'attends que l'un se précise, et vienne, jusqu'à moi, jusqu'à ma maison, et m'aime vraiment pas la petite séduction morbide. Une femme sur une cassette m'a dit hier : vous resterez seule jusqu'au bout. Une cassette audio après ma lecture à la Fnac, qu'elle a enregistrée en rentrant chez elle, pour une amie à elle et puis ça dévie sur moi. Elle pense, elle s'appelle Tichadou MF, que je suis seule et que je le resterai, que j'ai ma fille, mais que pour le reste, seule je resterai seule c'est normal. On verra. Pas de gaieté de cœur. Gaieté de cœur. Je disais, vous. La société. Vous, vous. Ce que vous êtes en train de me faire. Vous l'avez déjà fait, vous le répétez. Mais je ne vais pas forcément quitter la ville. En tout cas pas tout de suite, je vais voir encore ce que je peux faire. Si on gagne de l'argent, c'est justement pour s'acheter des châteaux avec des douves profondes, et des jardins, pour se reposer, et inviter les très, très, très, très très rares amis. Deux en ce moment. Trois en étant plus généreux. Étant entendu que je ne compte pas les gens de Stock complètement liés à moi. Hélène, Damien, Capucine, Catherine Nabokov, Anne-Claire, Emmanuelle, Christiane Besse, Philippe Rey, qui est le frère de quelqu'un de célèbre je ne sais plus qui. Liliane bien sûr, en ce moment j'oublie tout le temps Liliane, pourtant, Liliane. Mon trio c'est Hélène, Damien, Jean-Marc, et Capucine. Hélène, Damien, Jean-Marc parce qu'ils vont avec moi au front le plus près possible qu'ils le peuvent, pour eux, et Capucine parce qu'elle me rend des services inestimables sans le faire remarquer, au contraire. Les gens qui me font des compliments sans rien faire de concret m'exaspèrent. J'ai besoin que vous m'aidiez concrètement. Je ne peux plus supporter. Pourquoi. J'explique pourquoi. Vous avez beaucoup approuvé la construction de *L'Inceste*, qu'elle était remarquable. C'était complètement un hasard, c'était un moteur en marche, ça suffit vos appréciations, stylistiques, narratologiques, techniques. Construit, construit veut dire enfermé, enfermé veut dire emprisonné, emprisonné veut dire puni, puni veut dire bêtise, bêtise veut dire faute, faute, erreur, erreur, faute, de goût ou morale ou très grave, moi je n'ai rien fait de mal donc il n'y a aucune raison que je me construise une raison et une construction. Compris cette fois, *Quitter la ville*, pas de construction. C'est bien c'est construit, eh bien justement, cette fois c'est détruit, de votre fait. Vous avez détruit la ville, les décombres vous les entassez sur moi, où sinon, vous ne savez pas où sinon. Oui je sais paranoïa, oui je sais, folle. Non. Fou. Vous, fous. Tous autant que vous êtes plus fous. Vous le prouvez tous les jours, je n'ai pas fini l'inventaire. Attendez, vous allez voir ce que vous dites, vous en dites, vous allez voir comme vous êtes affreux. J'en étais où, les Grasset. Anne Garréta. Qui a mis un peu trop longtemps à se rendre compte que je n'étais pas l'idiote je t'aime-je pleure. Ce n'est pas grave, en voilà une de centrée, comme il y en a peu, très peu, en tout cas pas tous parmi vous. Est-ce que vous savez seulement ce que vous pensez ? J'arrête, non je ne vous agresse pas, au contraire. Dès que vous voyez quelque chose, vous pensez que c'est moi, pensez à le retourner c'est vous. C'est presque toujours vous, moi je renvoie. Renvoi d'ascenseur, cette lettre ne m'est pas adressée, c'est vous, c'est vous l'étage où vous descendez, je continue de monter. Et ça vous paraît normal, banal, et anodin : mon lot. Cinq ans, que je vais à l'hôtel des Saints-Pères, situé entre Fayard et Grasset, tous les gens de Grasset, sur le coup de six heures, viennent y boire un verre. Verny, Fasquelle, sa femme, et la fameuse Delator, Carcassonne, je ne le vois jamais, ou moins. Bianciotti ça arrive, ce n'est pas le même groupe. Picouly dans des interviews, bref, ce n'est pas d'eux que je parle. La Delator dit à Anne : Et Jean-Marc Roberts qui a mis Christine Angot à l'hôtel des Saints-Pères, on n'est plus chez nous. On n'est plus chez nous. On n'est plus chez nous. Ils ne sont plus chez eux. Ils trouvent qu'ils ne sont plus chez eux. Il y a des centaines de chambres ils ne sont plus chez eux. À l'hôtel des Saints-Pères qu'est-ce qui se passe, ils ne sont plus chez eux. On n'est plus chez nous. Ils ne sont plus chez eux, qu'est-ce qui se passe. Qu'est-ce qui se passe on n'est plus chez nous, c'est qui ? 45 kilos, ou 50, 1 m 62. On n'est plus chez nous qu'est-ce qui se passe ? Mais qu'est-ce qui se passe, vite, virez-la vite, on n'est plus chez nous sinon. On n'est plus chez nous à l'hôtel des Saints-Pères, on n'est plus chez nous dans le sixième, le barman Jean-Philippe lui a fait signer le livre d'or, on n'est plus chez nous. On n'est plus chez nous dans le sixième, on n'est plus chez nous à la télé, chez Pivot on était si bien. Il faut absolument qu'on ait vite un prix pour rattraper ça. Parce que, là, on n'est plus chez nous. Avec cette pute. Il y a des putes dans le quartier maintenant. On était bien. On était chez nous. Il y avait Rykiel à l'angle, Prada rue de Grenelle, au milieu Hogan, on circulait, on prenait vers 18 heures un whisky et vers 19, 20 heures, un taxi, on était abonné aux taxis, pour ne pas attendre, à cette heure-là ils sont tous pris, on était sûr d'en trouver. Là on n'est plus chez nous. Elle dort dans un lit de l'hôtel des Saints-Pères où on était pourtant chez nous. Bianciotti, Picouly, il y avait de temps en temps d'Ormesson c'était bien, Manuel Carcassonne, Héloïse d'Ormesson, le château de famille, la population l'aimait, les prix nous arrivaient, la télé on parlait comme on savait et voulait. On n'est plus chez nous, il y a des garces qui font la retape. Des filles aux yeux bandés, qui ne voient même pas nos yeux crevés, et nos machoires qui nous font mal avec nos sourires qui ne sont même plus carnassiers. Berger, Fasquelle, l'un bonjour madame, obligé de me saluer, par Anne, Garréta, qui l'a pris par le bras, en face de moi, et me présente mais il me salue comme si j'étais femme de ménage à La Hune, ou pute, ou négligeable. Je suis une Indienne de la classe des négligeables. Pendant cinq ans, je suis venue dans cet hôtel et souvent. Ils n'ont rien dit, ils n'ont rien vu, ça allait, j'allais, je pouvais dormir là. J'ai dit à Damien, cinq ans que je viens, ils ne me voyaient pas. Damien m'a dit : 40 000, ils te voient. Ça commence à se voir. Si j'étais restée à publier mon rien et à le vendre à cinq mille (maxi) ça allait. Le crime était presque parfait, de ne pas me lire et me voir. Là ça ne va plus, ça ne va plus du tout, Nothomb, Nothomb on s'en fout, elle peut continuer de faire sa stupeur et ses tremblements du centre du ventre, elle amuse la galerie, elle vend et plus, six fois plus que moi, mais moi, c'est moi qui gêne. Je suis Mme Sans-Gêne, ou la poissonnière, je ne connais pas du tout les usages, il y avait des usages, il y avait un langage, on n'est plus chez nous. Ils ne sont plus chez nous ni dans le sixième, ni dans Paris, ni dans le langage, sortez, on vous a assez vus, sortez. Je vous ai démasqués, oui, je vous ai démasqués. On a fait 962 ce matin, ce n'est pas terrible mais pour de la littérature c'est énorme. Vous entendez c'est énorme, est-ce que vous entendez que je vends énorme, des livres le contraire des vôtres. J'espère que vous ne me trouvez pas prétentieuse. Ceux qui ne le pensent pas sont mes amis, et ceux qui le pensent sont mes ennemis, et je les tuerai, à force. À force de faire des livres où la construction ne sera même pas repérable, parce qu'elle sera mentale, physique et mentale, elle sera mentale et pas menteuse, physique et pas visible. Ce sera une construction une, mais pas monolithique comme ça vous arrangerait bien, pour pouvoir dire : OK. Je vais faire en sorte, je vais mettre mon énergie à ce que jamais vous ne puissiez dire OK. Jamais OK. Toujours à côté. Donc, premier truc, on n'est plus chez nous, première violence, une des premières violences. Je ne vais pas montrer tout le temps, les liens avec la source, l'inceste du début, vous comprenez très bien. Famille illégitime sans que je développe et tout ce que cela implique. Cela implique énormément de choses. S'il fallait tout le temps que je répète je crois que, là, vraiment je me tuerais, vous me tueriez, je me tuerais à cause de vous. Pas volontairement, je ne suis pas à faire des suicides volontaires, mais je raterai une marche ou je tomberai de vélo et ça pourra être grave, donc je ne me répète pas, vous associez vous-même. Cette fois. La construction c'est vous qui la faites, vous verrez c'est mieux encore. On continue.

Deuxième truc, même journée, vendredi. Après je dirai aussi le matin, le téléphone, le coup de fil avec Gérard Desarthe, le surlendemain les messages de Guillaume Dustan. La sortie de *Têtu* est liée à sa crise. Le coup de fil avec Emmanuelle, la portion de phrase « surtout Laurent ». Le samedi, le rendez-vous avec Arnaud Viviant, ce que j'ai appris, de Raphaël Sorin, à la télé, et à l'île de Ré. Et puis après je vous dirai aussi l'argent que je vais gagner, dont Jean-Marc m'a parlé. Il faut que je trouve un endroit tout de même pour m'abriter.

Deuxième truc, même journée, vendredi : Flore. Je n'ai aucun problème en revanche avec les garçons de café, comparés à tous ceux avec les autres. Après il faudra que je dise aussi cette lettre quand je suis rentrée, celle que j'appelle la lettre horrible, la lettre atroce. Et puis les messages de Guillaume, je n'ai pas besoin de ça, en ce moment vraiment pas, et puis la lettre d'accueil de Randja à l'hôtel, tout ce que j'ai à dire, tout ce que j'ai à dire. Mais c'est énorme. Vendredi, Flore. Pas vendredi, jeudi. Je me trompe. Il y avait une signature à La Hune, à 19 heures. C'était le grand événement germanopratin de la semaine. Germanopratin, Saint-Germain-des-Prés, chez nous, les lettres, le coin des éditeurs, sur les guides Saint-Germain-des-Prés, le sixième arrondissement, traditionnellement, le quartier des éditeurs, on y croise des écrivains et des professionnels de l'édition, comme dans la City à Londres les chapeaux melons, vers midi dans les pubs, le quartier des affaires, en pleine ébullition, les chapeaux, les parapluies, *tight*. J'imagine. Nous. Flore. Germanopratin. Evénement. Douche, maquillage, un peu, simple, ne pas faire, événement justement. Germano-pratin simple, Flore simple, ou Deux-Magots, dénigré par les vrais, du coup recherché par les plus vrais que les vrais. L'un et l'autre, je les préfère au café de la Roquette, cool, on nous a fait changer de banquette, quinze personnes arrivent, la loi du nombre toujours, qui viennent manger, ça paye, « déloger » dit gentiment, par une fille blonde, bouclée, moulée, un T-shirt beige et pantalon de la même couleur. Quitter la table, juste à côté. Pas de problème, dit tout le monde. Moi je n'apprécie pas le procédé, de se faire de partout déloger. Le groupe pousse. Mettez-vous là comme ça tout le monde est heureux.

La lettre atroce d'abord, et après je reviens.

Je rentre chez moi hier, chez moi, je suis chez moi. Normalement. Il y a sur mon bureau, je le dis avant la lettre atroce : « Je vous écris car j'ai dans la tête beaucoup de mots qui ne demandent qu'à sortir, mais il me faudrait une machine à écrire. Mon écriture me bloque. Est-ce que vous sauriez où je pourrais en trouver une ? Ou alors pourriez-vous m'en prêter une pour un temps ? Je viens d'emménager à Montpellier, je ne savais pas à qui m'adresser. Alors je me suis dit qu'un écrivain me semblait bien indiqué pour ce genre de chose, je serai ravi que vous puissiez m'aider et/ou me répondre, je suis : Boris Cassone chez Arnaud Breton 43 rue de l'Université 34000 Montpellier. » Et je repense : Qu'est-ce que vous allez faire après ? Comment vivez-vous la médiatisation ? Êtes-vous inquiète ? La médiatisation tue la création : entendu en face de moi, adressé à moi, au Flore, vendredi vers 18 heures, paroles prononcées par Alain Clert, producteur de Son et Lumière, qui me propose un projet, mais, avec un sourire, et en me payant mon café : vous n'avez pas peur ? Et insiste : la médiatisation tue la création, et les écrivains. Le répète. Vous n'avez pas peur de la chute ? Entendu à Fnac, Forum des Halles. Vous êtes tous plus nuls les uns que les autres toi aussi Marie-Christine. Quand tu dis, ma tête, mon cœur, mon corps, tout est pris, après dix mois sans te voir, tout est encore pris, ma tête, mon cœur, mon corps, je suis attachée, et je le serai toujours à toi. Mais, rien. En ce moment j'ai besoin qu'on me caresse, et qu'on soit gentil, et qu'on me fasse à manger, quand je rentre de Paris, et même à Paris, qu'on m'invite. Ils sont tous plus nuls les uns que les autres. Le Flore, La Hune, les propos, les Berger-Fasquelle-Delator, mais aussi Clert, Boris Cassone, et toi aussi Emmanuelle quand tu me dis « je serais bien venue, pour vous voir, surtout Laurent », ce n'est pas le tact qui te tue, et l'anonyme, je rentre hier :

Entre serial killer et chien vous ne vous ménagez pas, mais de qui viendra le pardon ?

Vous attaquez sec toutes les proues protectrices de la société et de tout un chacun votre cruauté envers vous-même vous l'autorise, c'est commode de ne pas se taire oui je sais c'est affaire d'urgence, d'ultime survie, il est vrai que vous n'avez rien à perdre que ce chancre qui ne veut pas vous lâcher jusqu'à quelle démesure vous laisserez-vous souffrir, oui c'est atroce, ce meurtre jouissif de Christine adolescente, oui mais la douleur, « exsanguez-la ».

Jusqu'à quand tous les lecteurs dans votre lit ? Léonore regarde et elle va regarder de plus en plus, qui sera alors la mère de l'autre ?

Votre écriture est un beau et savant brise-lames, et larmes, n'en faites pas une écriture vicieuse, élargissant ses cercles irrespirables. Genet a trouvé des roses et des diamants dans les trous du cul, les prisons, les orphelinats ; dont acte ; c'est possible.

PRENEZ LA FOLIE DE VITESSE ! il faut bien un jour cesser d'avoir pitié de soi, l'écriture vous garde comme un ange, mais ne se lassera-t-elle pas de l'obsession ?

Votre livre (j'ai lu et aimé *Vu du ciel*, *Les Autres*, j'ai assisté jusqu'à la suffocation à *L'Usage de la vie*) est irrespirable, la douleur flatte celui qui l'écoute autant qu'elle peut le lasser, que voulez-vous au fond de l'écriture ? Qu'elle soit l'éternel sismographe de vos douleurs ?

Et moi qui vous ai lue, aveuglée, impuissante, terrassée, osant à peine vous dire « assez, Christine, faites-vous grâce » ?

(Je vais la retranscrire jusqu'au bout.)

Pas de philtre entre votre écriture et votre vie, rien que du constat destructeur. La petite Éléonore, encore épargnée ; les autres, les pauvres autres inondés de votre supplique.

Je n'ai pas envie de vous ménager car <u>vous</u> avez déclenché l'affrontement.

J'écris aussi... Des nuits de combat à trier jusqu'à l'os la bonne souffrance de la mauvaise, à refuser la complaisance. Votre travail d'écrivain vous évite de souffrir comme une bête, votre marche au calvaire, pendant laquelle vous ne cessez de <u>rebrousser chemin</u> risque de vous assécher ou d'exiler le lecteur. Chacun est libre de ne pas lire bien sûr, de ne pas acheter, vous tendez bien vos pièges car le sujet Angot, c'est quelqu'une ! touchante, lapidaire, on suit ses traces à la larme et au sperme, aux crachats et à l'or, on suit parce qu'on cherche avec elle l'issue.

Difficile de se délivrer de cet(te) écrivain-là.

Vous ne m'avez jamais choquée, j'aime l'incendiaire en vous <u>mais vous me lassez.</u> Angot tourne en rond, d'une gangue on peut surgir un jour à la verticale, l'écriture est la nervure et le scalpel intransigeant.

Risquez-vous hors de la souffrance, on verra bien : la joie et le bonheur ont mauvaise presse ; j'ai mis des années à oser écrire le mot joie, ce n'est pas si difficile bien que l'alchimie soit subtile et obscure : le plus difficile : que raconter alors de soi ?

Peu importe qui je suis ; vous m'avez touchée, votre façon d'écrire me plaît, il y en a qui disent que vous faites peur, <u>ils ne vous ont pas regardée d'assez près et sans doute avaient-ils quelque orgueil à perdre.</u>

Surtout je ne voudrais pas vous avoir blessée même si vous ne vous gênez pas pour l'infliger à qui vous résiste ou vous manque.

Qu'attendez-vous de vos lecteurs ? De la pitié offusquée, dégoûtée, de la lassitude, de l'admiration, de la compassion impatiente, de l'humiliation, <u>une de plus ?</u>

Lamentable père, ce Pierre qui n'entend plus peut-être votre douleur vociférante, **faudra-t-il qu'il meure pour de bon afin que vous viviez ?**

<u>**Votre prochain livre sera une ébauche de réponse,**</u> je l'espère.

Bonne lecture à la librairie Molière où très malheureusement je ne pourrai me rendre.

Je l'ai écrit pour moi mais il vous va bien aussi :

ORGASME   DE   SOI   À   DÉFAUT

D'ÉTOILES QUELS FAUTEURS DE TROUBLES S'EN IRONT EN EAUX PURES ?

J'ai l'impression que la folie de la terre est en train de tomber sur moi. Et je ne sais même pas si j'ai peur.

La Hune, le bonjour de Lydie Salvayre par Bernard Wallet, son mari, éditions Verticales. Félicitations, bon, bien, super. Lorette Nobécourt, dans un coin. La Hune, là, je suis à La Hune. Bertrand Leclair. Des gens, des éditeurs, des écrivains, quelques lecteurs. Des hommes, des femmes. Des yeux un peu éclairés, des yeux qui prennent l'air un peu éclairés. Un escalier, Damien, en bas, au cas où, s'il y a un connard, pour me protéger, je l'appelle dans ces cas-là. Je lui dis : tu peux répondre aux questions de la dame, et il s'en charge. Et Desarthe au téléphone le lendemain matin, qui finit par m'engueuler, parce que dans les interviews je ne parle pas de lui, qui a pourtant au début fait circuler mes textes, avec René Gonzalès, c'est vrai, et dans les interviews je n'en parle pas. C'est vrai, je parle du travail récent avec Françon pour le théâtre. Il n'y en a que pour Françon, c'est le reproche. Je ne peux pas parler de tous ceux qui ont fait des choses mais pas tout. Qui étaient là au début, les rares, il n'y a pas d'ancienneté je m'en fous. Ce n'est pas ceux qui étaient là au début, au milieu, ni maintenant, qui m'intéressent, mais le prochain. L'actuel, *Quitter la ville*, et le prochain, après. C'est ça. Nous sommes le lundi 4 octobre 99, je suis rentrée de Paris hier, après cinq jours à l'hôtel des Saints-Pères. La stratégie quand on a un livre qui fait du bruit, c'est de laisser se reposer les journalistes et les lecteurs, leur laisser le temps de se désénerver. J'ai dit vendredi à Jean-Marc, tu vois, ce qui serait bien, ce livre, que je suis en train de faire, d'écrire, je ne sais pas, ce que ça donnera, il faut qu'il soit impeccable, ce que j'aimerais, c'est qu'il sorte dès septembre prochain. Dès septembre, un an, tu vois. Septembre, allez hop, on ressaye. Septembre, un an, même pas un an, une petite année. On passe à la trappe théoriquement car on nous attend au tournant, et on essaie de ne pas y passer. Dans ces cas-là on négocie le tournant en essayant de se faire oublier, pour réapparaître, attendu, forcément. Mais nous on ne ferait pas ça, tu vois, nous, on ne lâcherait pas. On ne négocierait pas le virage en se cachant tu vois, et quand même on ne passerait pas à la trappe. Est-ce que tu crois que c'est possible ? Qu'est-ce que tu en penses ? Est-ce que tu en as envie ? D'être là dès septembre prochain et si je pouvais dès le printemps. De leur sauter dessus, encore. D'être encore là, on n'est plus chez nous. Et encore à l'hôtel des Saints-Pères de réserver plusieurs journées d'affilée, qu'est-ce que tu en penses ? Et de nouveau avoir les trois pages de *Libé* et l'ouverture du *Monde*. Je sais que c'est impossible. Complètement impossible. Mais tu imagines. Tu imagines ? Ça serait vraiment génial. Non ? Bien sûr que ça serait génial. Et de rafler encore une deuxième année de suite, tout, est-ce que tu crois que ce serait possible ? Ou est-ce que tu crois que c'est complètement impossible, complètement un délire, qu'on va au casse-pipe si on fait ça, et que, du coup, on sacrifie le livre, et ça c'est terrible. Parce que, ils n'attendent que ça. Évidemment, mais justement le faire, le risquer quand même, et gagner quand même. Foncer droit dans le panneau et puis le traverser, tu n'as pas envie de ça ? Et puis cette fois par exemple d'avoir un prix. Non, recommencer pareil, sans prix. Déjà tu imagines. D'être là, dans quelques mois déjà. Qu'ils soient obligés de s'incliner et de me dire bravo encore. Il ne faudrait pas se planter, faire un livre, encore mieux. Évidemment. On est obligés. *L'Inceste*, ce n'est pas ce que je peux faire de mieux. Maintenant j'en suis sûre. Je peux faire beaucoup mieux, je crois. Même que celui-là sinon tu veux me dire l'intérêt. Le livre qui sera le meilleur de moi, ce sera celui qui n'aura aucune raison d'être, mais qui sera là, celui où on pourra juste dire : c'est bien mais sans savoir pourquoi, et donc sans être sûr. Comme quand tu aimes quelqu'un tu dis : je ne sais pas. Ce qu'il faudrait c'est être dépassé par son amour. Que les critiques bredouillent, tu vois, qu'ils disent c'est bien, qu'ils prennent l'ouverture du *Monde* pour dire : c'est bien mais on ne sait pas du tout pourquoi. Tu imagines ça ? C'est bien, mais ne nous demandez pas pourquoi, on n'en sait rien, on aime, on sait pourquoi mais on ne sait pas de quelle forme est cet amour, on ne sait pas de quelle nature. Mais on aime, ça alors, ça oui. Ils trouveront les raisons, parce que évidemment il y en a. Ce sera beau, ce sera peut-être même trop beau, peut-être qu'ils diront qu'ils n'aiment pas. Mais on n'y pensera pas à ça, parce que ce n'est pas possible. Et cela, dès septembre prochain. Tu imagines ça ? Et que les autres auteurs soient malades parce que de nouveau je prends la place. Que Guillaume Dustan, de nouveau m'appelle en me disant : tu m'as volé ma rentrée littéraire. Et que de nouveau il m'insulte mais cette fois je serai habituée.

565 exemplaires ce matin. Soi-disant c'est normal. Les chiffres CRDL, la province paraît-il, ne seraient pas comptabilisés tous là-dedans. J'ai fait remarquer à Jean-Marc que Damien m'avait dit que le début de mois était toujours très bon, les libraires commandent en début de mois beaucoup parce qu'ils paient un mois plus tard c'est la règle, ils gagnent un mois, donc les ventes de début de mois sont

considérables. Je le savais Damien me l'avait dit, mardi. Parce que les chiffres de la fin du mois c'était 900 et j'étais inquiète. Jean-Marc m'a répondu que le début du mois ça voulait dire toute la semaine, et puis il m'a fait le coup des chiffres CRDL.

Mon psychanalyste m'a dit à propos de la lettre anonyme, puisqu'elle est anonyme, laissez. Il cherche comment me préserver, pour calmer cet état constant d'hypersensibilité. Je lui ai dit que j'étais désolée : anonyme ça veut dire collectif. Un mot qu'on ne signe pas, ça veut dire qu'il représente la collectivité, quand on ne s'individualise pas. Il a été d'accord, on a cherché d'autres moyens. Voilà : j'ai besoin d'aide, de soutien, d'amis, j'aimerais d'amant, mais d'amis déjà, pour rester en activité, puisque je veux rester l'hameçon c'est décidé, puisque c'est mon projet littéraire, le bout de viande pour leur montrer le cannibalisme à l'œuvre, sans me faire dévorer c'est ça. Sinon il n'y a plus de projet littéraire, il n'y a plus rien. Un hameçon c'est rare dans notre domaine. On en trouve plus dans la musique *live*, les concerts. Si je veux continuer, il faut de l'aide. On m'en propose. Mais je ne supporte personne, tout le monde est faible, je raye. Alors en fin de séance on s'est dit : accepter les faiblesses. Ce n'était pas la première fois qu'on revenait sur ce terrain-là. À force de me l'enfoncer dans le crâne, petit à petit ça va rentrer. Donc. Je suis allée poser mon vélo chez moi. J'ai téléphoné à Marie-Christine à son cabinet. Je lui ai demandé si elle voulait que je passe, elle m'a dit oui. Puis : l'amour impossible est revenu sur le tapis. Claude m'avait dit pareil, Éric pareil, Alain, pareil, tous pareil. Jean-Marc me l'a dit ce matin : quand ils te disent ça, ils te disent que tu es morte. Jean-Marc et moi on ne supporte pas la mort.

Où j'en étais ? La médiatisation tue la création, la peur de la chute, « surtout Laurent » Emmanuelle Touati, « c'est à ce point-là ? » Emmanuel Adely, « tue les écrivains » Alain Clert, « bonsoir madame » Yves Berger, « on se fait des petits sourires » Fasquelle, « on n'est plus chez nous » Delator, « c'est impossible » tous, « pouvez-vous changer de banquette ? Tout le monde est heureux si vous changez de banquette » la fille de la rue de la Roquette. Et le coup de « sournoise », Sorin, je ne l'ai pas encore dit.

Samedi, j'avais rendez-vous avec Arnaud Viviant. Pour l'article de novembre. On a parlé de mille cinq cents choses, pour l'entretien. Puis on a débordé, on a parlé. On était au restaurant, à La Locanda, rue du Dragon. On s'éternisait, il n'y avait plus que les patrons qui mangeaient. Raphaël Sorin, au début, nous défendait, au *Masque et la Plume* il a été le seul à prendre ma défense, avec un tout petit peu Patricia Martin. Il nous défendait parce que, sûrement, il estimait que c'était bien, de nous défendre, mais ce n'était sûrement pas sincère. Ça a changé au cours des semaines. Le discours a changé, le ton a changé. Jean-Marc m'a dit : c'est parce qu'on a gagné. Maintenant. À chaque fois qu'il me dit ça, moi je lui réponds : tu crois ? Il me dit qu'il le sait, qu'il en est sûr et il rit même. En fait souvent il dit : ah oui, là je crois, en souriant. J'avais appris qu'à Cologne, en même temps qu'il nous défendait à Paris, Raphaël Sorin avait dit au cours d'un débat que le papier de Josyane Savigneau dans *Le Monde* était ridicule, tout en nous défendant à Paris, que Savigneau était depuis ce papier la risée de Paris, parce qu'elle parlait d'elle tout le monde s'en moquait en fait. Premier truc, premier indice contre la belle défense, apparente, qu'il semblait offrir à Jean-Marc et moi. Deuxième indice, beaucoup plus sévère, la semaine dernière j'ai eu le fin mot, par Arnaud Viviant samedi. Arnaud Viviant reconnaît le travail, il a dit : pour faire ce papier, elle s'est sorti les mains Savigneau. Ça se dit paraît-il d'un pianiste quand il joue très très bien. Raphaël Sorin dit à Cologne qu'elle est la risée de Paris. Quelques semaines plus tard, sur Paris Première, à *Rive droite Rive gauche*, animée par Thierry Ardisson, il y a sur le plateau des critiques, Beigbeder et Viviant, et lui donc, Sorin. Il dit : Angot, c'est en fait quelqu'un de très malin, de rusé, de futé, elle n'a jamais vécu l'inceste, de sournois. Viviant : je vous rappelle qu'elle publie depuis dix ans. Ardisson enchaîne et termine par : ah oui, elle est très forte, très très forte alors, dix ans de sournoiserie. Donc on s'en est bien tiré, mais Sorin. Et à la sortie de l'émission il raconte à Arnaud Viviant une très très bonne blague. Cet été, il se trouve à l'île de Ré, et se retrouve invité à une soirée chez Nadine Casta, ayant lu le livre, *L'Inceste*, qu'il a eu en service de presse avant de partir, il repère « la » Marie-Christine, qui est avec sa nouvelle copine. Arnaud Viviant me raconte ça en me disant : j'ai un truc à te raconter qui va te faire rire, te faire beaucoup beaucoup rire. Raphaël Sorin décide alors, la blague devient là vraiment à mourir de rire, complètement irrésistible, Sorin décide de draguer la copine de Marie-Christine, me dit Arnaud Viviant, qui le tient de Sorin lui-même qui s'en vantait, à la sortie, ou avant de faire l'émission, il ne le sait plus, avant ou après, il décide de l'inviter à danser, eh bien, tu sais quoi, complètement impossible. Complètement, impossible. Je suis censée rire, à la fin du repas, de la blague, excellente que je viens d'entendre, en fin de repas pour la détente. Le lendemain matin, j'ai téléphoné à Arnaud Viviant : ça ne m'a pas fait rire du tout, je trouve ça insupportable. J'ai dû expliquer pourquoi. Le lundi à Jean-Marc j'ai raconté que Raphaël Sorin, ce n'était pas la peine de dire au *Masque et la Plume* que j'étais un exemple de folie littéraire, qu'il y en avait peu, Artaud et Nijinski, ou qu'on n'avait pas vu ça depuis Duras, une telle je ne sais plus quoi, qu'il était lui aussi un porc. Jean-Marc va me dire, ça tu ne peux pas le dire, c'est une insulte. Mais j'ai réfléchi, je ne suis pas prête à écrire des phrases qui ne seraient pas du tout diffamatoires. Sinon je ne vois pas à quoi ça sert, ni pourquoi je me fatigue. Ce n'est pas la peine. Ils sont tous, tous, tous, tous, dans le mensonge. Ils sont tous plus nuls les uns que les autres, il n'y en a pas un pour racheter l'autre. Je m'aigris, je sens que je vais être une vieille insupportable, comme j'ai dit à Frédéric samedi au café de la Roquette avant le théâtre. On était déjà sur l'autre banquette près de la sortie, moins bien. On nous avait fait déménager un soir comme ça où j'étais épuisée en nous disant : mettez-vous là, et tout le monde est heureux. J'ai dit à Frédéric : il n'y a qu'une solution, on ne paye pas, on part sans payer, viens. Il ne voulait pas. Il n'a pas voulu. J'avais mal au ventre. Je ne supportais pas. Il fait comme s'il comprenait, mais au moment de faire la seule chose qui consolerait (partir sans laisser l'argent, c'est ce que je propose, c'est la seule chose) il n'accepte pas, son rapport à l'argent ne le lui permet pas, et à la dette, à tout ça, il n'accepte pas pour moi, alors qu'il comprend, de faire une croix momentanée sur ces problèmes compliqués. Les trente francs sur la table, je voulais les reprendre et partir. Il m'en a empêchée. C'était impossible pour lui, de partir comme des voleurs. Alors que. C'était la seule solution. Pour l'instant. Après Sorin, et l'île de Ré. Il y a de la salissure partout, la drague du porc, et « surtout Laurent », les trois messages de Dustan que je n'avais pas encore, et on n'est plus chez nous. Et encore payer ? Il fallait arriver à voler, les jambes qui tremblent et le mal au ventre, et la colère, et la colère surtout, et surtout la peur de ne plus y arriver c'est tellement difficile, de ne pas tenir, de ne pas tenir plus, de ne plus tenir, de s'effondrer. Voler le risque de s'effondrer, qu'il disparaisse, on trouve, allez on trouve toujours, on peut faire ça, il y a encore ça, cette petite chose à faire, pour aider, peut-être, essayer, reprendre les trente francs, voilà ce qu'il fallait faire. Et c'est tout, et Frédéric refusait pour des raisons à lui. L'essentiel c'est de continuer, mon slogan ç'aurait pu être : Continuez, continuons, continue. (Alors que Mathilde Monnier a titré *Arrêtez, arrêtons, arrête* le spectacle qu'on a fait ensemble.) Je lui disais, à Frédéric, toujours au café de la Roquette. Viens, j'ai insisté, vraiment. On part, on ne paye pas. Il ne pou-vait-pas. Et je continuais de lui dire Sorin et le Flore et on n'est plus chez nous, et l'amour, impossible, me tue, et comme ils sont tous plus nuls les uns que les autres, tous, et il n'y en a pas un pour racheter l'autre, et je pleurais, j'allais pleurer. Ça se voyait, j'ai pleuré, bien sûr tellement on se connaît. Je lui caressais la joue et je pleurais, je lui ai caressé la joue quand il a dit : oui, on va partir comme des voleurs. Je lui ai alors caressé la joue. Il le faisait pour moi c'était impossible pour lui il avait compris qu'ils ne nous auraient pas, les tocards. On partirait plus tard quand on en aurait envie quand on aurait fini, on n'allait pas en plus se gêner, et je prenais des notes en même temps sur son carnet. Il a accepté de partir, partir comme des voleurs. Je lui ai dit : c'est essentiel, essentiel. Puis Marie-Christine, il ne faut pas que je me laisse attendrir par son incapacité, son incapacité. Je scandais. Quand je suis à bout, la colère explose, je scande. Une seule fois le mot ce n'est pas assez et ce ne sera jamais assez j'ai l'impression, le ras-le-bol, et la colère, et aussi que je vais gagner, son incapacité, son incapacité, je scandais. Son incapacité, que je ne me laisse pas attendrir par son incapacité, son incapacité risque de me freiner. J'ai l'impression (toujours à Frédéric, je parlais, sur cette banquette, coincée entre les bottins et le type à côté mangeait), un soir comme ça, que je suis en train de me suicider, j'ai l'impression qu'un soir comme ça je suis en train de me suicider. Frédéric m'a répondu, c'était Sorin, c'était tout ça : ils ont cru qu'ils pouvaient faire eux aussi leur miel de la transgression, eux aussi. Ils y vont. C'est permis. À peu de frais. Je pensais aux piranhas, que j'étais en train d'appâter, est-ce que j'allais réussir à les rendre des piranhas aux visages interdits, qui renonceraient à leur nature vorace. Il y a des risques. J'ai peur. De moi et du coup pour moi, du coup. Je l'ai répété deux fois aussi. Meurtre en série, je me disais, meurtre en série, je comprends. Ah oui, comment tu peux tout d'un coup tirer dans le tas. Pour les arrêter. Alors, il faut, il faut que je gagne. Que je ne me laisse pas avoir par ces gens-là. Quelle violence et quelle barbarie. Il n'y aura pas de procès possible cette fois, il n'y aura pas besoin de changer les noms, puisqu'ils sont tous pris. La société contre moi, contre une seule personne ça ne marchera pas on n'aurait jamais vu ça, on ne le verra pas. Toute la société contre moi on ne le verra pas, pas contre moi, Sorin, Desarthe, Berger, Delator, Fasquelle, Emmanuelle Touati, Adely, Laclave, et tous les autres avec, et pour prendre ma défense, Jean-Marc, Frédéric et Claude peut-être. Ils ne le feront pas, ils ne porteront pas plainte, ils sont trop. Et ils finiront tous pour moi, ils finiront de mon côté tous. Moi dans le box des accusés je le visualise. Ce que je veux c'est leur violence à nu, dans leurs mains, eux, en train de lancer l'attaque injuste. Idéalement voilà ce que je veux, et que ce soit moi en plus dans le box des accusés. C'est absurde. Ils se rendront compte avant de l'absurdité, ce sera instinctif.

Jeudi matin au téléphone, Yves Mabin, je ne vous l'ai pas raconté. Il y a tant de choses, il y a dix mille trucs, idéalement je voudrais tout raconter, impossible, incapable, mon incapacité, mon incapacité, à tout enregistrer, il s'en passe trop, il s'en est passé trop, beaucoup trop. Pour que je puisse comme on dit : fournir. Yves Mabin : Vous trouverez bien quelqu'un chez votre éditeur à séduire. Pour mon projet d'Égypte, la machine à écrire... Je vous l'ai déjà dit. Ça me revient, ça revient de toute façon tout le temps. À séduire. Comment a-t-il pu se permettre de me dire : à séduire. À moi, il s'est permis de me dire à moi : à séduire. Après toute la presse, après le livre, après l'inceste, calomnier c'est même le contraire de diffamer, c'est mentir. À séduire, c'était mentir. Frédéric m'a dit : tu sais, j'ai réfléchi, et je me suis dit hier : je suis l'élan et le frein. Toi tu n'es que l'élan, il faut que tu fasses très attention aux ennemis. Il faut que je fasse attention. Frédéric m'a dit, je te le dis, c'est mon devoir d'ami. Attention. Que j'écrive leur folie, votre folie, mais sans, non, sans, que pour m'arrêter, on m'atteigne, on me blesse, on me laisse seule, on me tue, ce qui est le plus sûr moyen bien sûr que j'arrête. Arnaud Viviant me l'a dit, oui moi je le crois qu'ils veulent te tuer, y compris moi, mais moi je le sais, et ma pulsion de mort j'essaie de la maîtriser. Je crois même qu'il m'a dit : je la maîtrise. Pourtant il m'a dit aussi, phrase suivante : pour le prochain livre, tu verras le mur de silence. Alors que seule, je ne peux pas, je le lui avais dit en interview, il le sait. J'ai besoin d'aide je l'ai toujours dit. Maintenant plus que jamais, toujours. Le mur de silence, qu'il l'annonce, il ne maîtrise pas la pulsion, non. Dont je suis l'hameçon, le produit, la souris blanche. Mon incapacité à moi : je m'écroule facilement. Et c'est le moment stratégique que vous choisissez pour me laisser rentrer seule chez moi et me faire bouillir de l'eau pour les pâtes, après avoir donné au public la peau que je n'ai même plus pour moi. Pour me caresser ne serait-ce que moi-même. Si ça paraît excessif, c'est un dialogue de sourds. C'est impossible. Je vais la récupérer ma peau, un jour quelqu'un va venir et il va la caresser ma peau, et à ce moment-là vous ne pourrez plus rien, contre moi : plus rien. Plus rien : je serai toujours la même mais il y en aura un autre, à deux tout ce qu'on arrivera à faire. Dimanche je pars à Los Angeles. Los Angeles ne sont pas tout blancs, j'y pars. C'est l'idée du départ. Je quitte Montpellier, et même Paris. Je reviens mais entre-temps je serai partie pour ne plus jamais revenir au pays des petites phrases du Flore et de la Roquette, pour ne plus jamais en souffrir et aller chercher l'élan ailleurs. Et l'élan encore. De nouveau.

Ils ont déjà tous dégagé je le sentais, ça se confirme jour après jour. Pas un jour sans cette confirmation qu'ils ont dégagé. Ça doit être la peur. Depuis qu'il a vu la couverture de *Têtu*, Guillaume Dustan que je croyais plus ou moins ami, mais quelle idée aussi, jusqu'à il y a encore très très peu, vendredi encore, le coup de fil du soir, sur mon répondeur à Montpellier. Il devient fou, c'est son tour, à son tour il pète les plombs, Desarthe, Sorin, Berger-Fas-quelle-Delator, etc., j'en cite et j'en oublie, ils y sont tous, ils se reconnaissent, Laclave c'est bientôt lui que je préfère. Dustan : Je ne t'en veux pas de m'avoir volé ma rentrée littéraire, tu ne l'as pas volé. Merci de m'avoir volé ma rentrée littéraire. Il faut que je lise *Sujet Angot*, que je n'ai pas lu, pour comprendre comment on devient intelligent à force d'être bête, fort à force d'être faible, historique à force de n'être rien. Et puis un petit : je suis content qu'on se connaisse. Et puis : rappelle-moi, avec un de ses petits rires, et puis : je ne sup-porte pas de n'avoir pas la reconnaissance que je mérite, alors je suis très énervé. Et là il faut excuser que ce soit moi qui prenne, je dois tout prendre, Œdipe est mon modèle, toutes les plaies de la ville. On lui a volé sa rentrée littéraire, c'est moi, il m'insulte et c'est normal. Le coupable, pourquoi ce ne serait pas moi, je fais ça très bien. Que ça me retombe dessus c'est le message subliminal qu'on m'envoie, puisque j'ai tout transgressé et que je peux tout supporter, puisque j'ai vu des images impossibles, l'inceste étant la plus rare et que je peux tout voir donc, et que j'ai entendu des phrases inouïes je t'aime et tu es belle et tu pourras avoir de très beaux hommes étant la pire vu qui la disait et je peux tout entendre donc. Je lui ai volé sa rentrée littéraire, je peux l'entendre, et il me dit, je peux l'entendre : rappelle-moi malgré le dernier message où je t'insulte. Je peux l'entendre : Sorin a dragué la Marie-Christine du livre ou sa copine mais je crois que c'était Marie-Christine. Je peux l'entendre. En tout cas ça le faisait bien rire et Arnaud aussi. Ça aussi. Il avait vite fait de repérer après la lecture du livre : la Marie-Christine. Tout. Et rappelle-moi je peux l'entendre, et je peux très bien rappeler.

Je ne rappellerai pas. Comme avant-hier à la librairie Molière, épuisée, épuisée j'étais, assise sur le tabouret, Jean le comprenait. Et je sors, j'avais rendez-vous je devais sortir, à ce moment-là entre dans la librairie, c'est tout à fait normal, une femme qui me dit : vous êtes Christine Angot ? Et là, je ne sais pas pourquoi, ça m'est venu naturellement, comme ça, spontanément, ça m'est sorti dans la bouche, comme une évidence, la seule à dire, j'ai fait : non. Sans être du tout agressive. Elle s'est excusée, elle m'a dit d'accord, et elle est entrée dans la librairie avec la certitude comme ça arrive de s'être trompée sur l'identité de cette personne qu'elle venait de croiser. Je n'étais pas Christine Angot et dans la rue, quelle douceur après.

J'ai un vrai projet pour ce livre, je ne le mènerai pas à bien car il arrive chaque jour des choses toujours nouvelles, que j'écris, donc je recule, je dois mettre à jour. Je sais ce que je veux faire. Je recule à cause de tout ce que je suis obligée d'écrire immédiatement et qui ne supporterait, qui ne souffrirait, aucun délai, qui a besoin de ma réaction vive, et surtout prise dans tout. Il faut savoir annuler les projets même les plus intéressants, pour capter, tout de suite, vite, sur le vif, le mensonge, en train de se faire, en flagrant délit, vous le coincez, la main dans le sac et le porc dans l'auge, et vite et vite, qu'ils n'aient pas le temps de se faire une couverture, un alibi, la phrase est encore si fraîche dans l'oreille que c'est sûr ç'a été dit comme ça. Et pas autrement, le public reconnaît bien les phrases des gens. Même s'ils les trouvent incroyables, il n'est pas étonné, il sait ce que c'est. Quand même depuis le temps il a son idée. Depuis le temps qu'il en entend. Les adultes évidemment.

Quitter la ville, mon projet était d'écrire toutes les villes que j'ai quittées, et pourquoi. Pourquoi je les ai quittées ces villes, et pourquoi, comment, pour où. Pour aller où, ce que je fais maintenant. Quel est le circuit ? J'espère avoir le temps le plus tôt possible mais avec ce qui s'est passé hier, je dois traiter l'actualité qui presse. Une chose très importante. Qui fait que la vie ne sera plus jamais pareille. Je dois faire le maximum, pour que vous voyiez, le mieux possible, ce que je veux dire. Il y a eu hier, 5 octobre, une simple lecture, à la librairie Molière. Tout est changé depuis. Depuis la soirée et la nuit plus rien ne sera comme avant, j'ai enfin compris c'est la goutte d'eau qui a fait déborder. Je disais à Léonore « c'est un peu difficile, tu comprends », elle comprend elle m'a dit « oui ça déborde ».

Je vais me reposer il faut que je sois plus en forme. Vous ne comprendrez pas si je ne donne pas le maximum.

Une équipe de TF1 est arrivée vers onze heures le matin. Tout se passe bien. Interview, maison, dehors, rue. Puis ce qui était prévu, ils assisteront à la lecture le soir à 18 h 15. Tout se déroule. Pas mal. Je suis secouée de toute façon. L'amour impossible me lamine, on m'a dit ça tout le temps. Nous passons à La Changerie, Marie-Charlotte refuse d'être filmée, déclare : Je ne veux pas en parler. Cela m'est devenu insupportable. Il y a trop. Il y a trop eu. C'est assez. Je ne peux plus en parler. Pour moi, pour moi je dis bien, c'est trop. Ça suffit. Que les gens lisent le livre, et stop. Qu'on arrête. Ça suffit. C'est trop. Avec des gestes de la main plate vers la droite. Et vifs, à bout ça se voit. Trop. Ça suffit maintenant. Je n'en peux plus. Et hors caméra, hors micro, à moi : Ça m'a fait du bien de pouvoir le dire. C'est ce qu'elle avait envie de crier à tout le monde : Je n'en peux plus. Et : Un ami de Paris, musicien connu m'a dit : il y a des musiques très belles, mais irrespirables, qu'on ne peut pas écouter. Tu vois ce que je veux dire ? TU VOIS CE QUE JE VEUX DIRE ? Il faut mon consentement. Tu vois ce que je veux dire ? Eh bien c'est ça que je veux dire. Affirmant bien sûr au micro, HAUT ET FORT : j'ai adoré le livre de Christine. Que les gens le lisent et se taisent. ASSEZ. Avec une voix extrêmement distincte, une position du corps extrêmement ramassée sur la parole en train de se prononcer, un message extrêmement percutant, qu'il était vital pour la survie de cette personne, face au monde de dire. Que assez. Que trop c'est trop. Que c'est trop. Que au début j'étais contente, hein je te l'ai dit ? Mais que après je ne pouvais plus, trop d'articles, je ne supporte même plus d'en voir un, je ferme, je ne peux plus, et pourtant j'ai ADORÉ le livre de Christine. Il est tellement beau. J'adore ce livre. On continue un peu, on sort, on se balade un peu. Je rentre, je me prépare pour la lecture, comme d'habitude je ne sais pas encore ce que je vais lire. J'improvise comme d'habitude suivant le moment et les gens. Yann Plougastel me téléphone. Il veut que j'aille à Los Angeles interviewer Fiona Apple. Je veux réfléchir, je suis fatiguée, je ne sais pas, je demande un délai, je donnerai ma réponse demain. Marie-Christine m'appelle, en plein interview, Emmanuel Adely aussi. Ce soir, quand ça se sera passé si mal, la lecture très bien, le moment lui-même très bien, mais après quand je serai chez moi seule en train de me faire des pâtes, il y aura partout des répondeurs et des sonneries dans le vide, et la librairie vide, j'appelle ça se passer mal. J'appelais ça comme ça. Mais non, je n'appelle plus ça comme ça : c'était mieux, c'était clair. Maintenant c'est clair. Comme m'a écrit une fille : répondez à ma lettre ce serait généreux de votre part. Donner ma peau ce n'est pas assez, pourquoi je ne serais pas un peu généreuse. Dans un rapport écrivain-lecteur : « je peux avoir besoin de vous moi aussi qui sait, je ne souhaite pas dévoiler ma vie tout de suite, pas dans la première lettre. » Bref. Bref, bref, bref. Comme m'ont écrit deux infirmières, ce n'est pas de la littérature. Ni du théâtre quand j'en fais, c'est vrai. C'est de la science que je fais. C'est moi le produit. Je vois ce qui se produit, la couleur que ça prend au contact. Elles me conseillent de trouver dans ma région un atelier d'écriture pour apprendre à écrire, ces infirmières. Comme j'ai dit à Frédéric, ils auront tous, tous, tous, la monnaie de leur pièce. Vingt centimes par vingt centimes. Et les *Inrocks* qui publient mon texte *Le procès de Mathieu Lindon* sous un autre titre qu'ils ont tiré eux-mêmes de mon texte sans me demander, ils titrent : *On a tous quelque chose en nous de Jean-Marie Le Pen*, pour racoler c'est la base, séduire, et surtout ne jamais laisser quelqu'un entier, couper le titre, changer la couleur sans le dire. Ne pas être des êtres, ne pas le laisser faire, on supprime comme ça le problème des êtres. On les déplace, on les transporte, on les met ailleurs, pas chez nous. Ariane Fasquelle à Francfort confirme le bruit de couloir « on n'est plus chez nous », et à Jean-Marc dit en face : On n'est plus chez nous, tu ne peux pas la mettre ailleurs. Mettre, la mettre, et puis mets-la, et puis mets-la là. Mets-la mais mets-la là. Ailleurs, pas chez nous. Quand même. Et puis mon écriture qui est comme on m'a dit instinctive, un chien, à l'instinct, et Jean-Marc, du flair. Et moi, une bête, médiatique, une bête. Chez Molière. Je recule pour le dire, comme mon projet quitter la ville. Molière je recule tellement c'était triste de se retrouver seule après avoir donné aux autres j'en suis sûre quelque chose. Qui vous a obligée ? Personne, c'est mon projet. Personne, j'aime bien voir ce que vous faites. Comme j'ai dit à Karim, quelqu'un qui donne quand vous en voyez vous ne savez tellement pas ce que c'est, vous fuyez. Vous déguerpissez la tête basse et la queue entre les jambes. En faisant coucou de la main et même pas quelquefois. Vous dites « j'ai mal à la tête », ou « je dois rentrer », ou « j'ai des courses à faire ».

Elle est tellement énorme la tâche. Je ne peux pas aller dans un atelier d'écriture pour mettre en forme. La tâche de retourner vers vous leurs phrases, et vers eux. Qui c'est « eux » m'a dit Frédéric Ferney ? Ils ne savent pas. *Le Canard enchaîné* s'est moqué de moi en écrivant dans une brève : Duras c'est contagieux. Dès qu'il y a une femme qui parle c'est contagieux, toutes elles parlent pareil, Duras est le modèle qui leur vient à l'esprit tout de suite. On me demande si j'ai un modèle. Ça fait partie des insultes, élève, de son père, victime, de Duras, des médias, de Jean-Marc et de l'Audimat, c'est ce qui compte victime. Pour eux. Une petite provinciale qui n'a pas tellement de culture, qui a un vocabulaire très pauvre. Et des rêves, on le verra plus tard, je n'ai pas le temps là, bien pauvres (autre article j'en parle après). Est-ce que vous en êtes consciente. Parce qu'il y a ça : Si je suis consciente. Si je suis consciente que ma fille va me lire un jour, est-ce que j'y pense, en êtes-vous consciente, ma fille, si j'en suis consciente. Science sans conscience. N'est que ruine de l'âme. Science sans conscience. Seriez-vous naïve ? N'y aurait-il pas aussi un côté règlement de comptes ? Excusez ma question, elle est peut-être un peu naïve. Qu'est-ce que vous en pensez ? Je réponds. Je me prête au jeu. Les jeux pervers je m'y suis toujours prêtée.

Je ne suis plus du tout cinquième des ventes, j'ai disparu des listes. Je ne demande même plus les chiffres. Damien m'a dit : on ne dépasse quand même pas la logique du livre, on est rejoint par ce qu'il est. Cinquante mille ce n'est même pas sûr qu'on y arrive. Avec les retours, on est dans la phase descendante, c'est fini l'excitation, c'est le retour de la réalité. Damien m'a dit : Ce n'est pas le livre qu'on peut offrir à sa grand-mère à l'hôpital. Mais je suis devenue quand même un enjeu de pouvoir. Qu'est-ce qui va m'arriver ? De quoi avoir peur ?

La lecture chez Molière. J'arrive à 18 h 10, c'est plein, il y a TF1, il y a des photographes, on dirait que je viens d'avoir le Nobel, mais ce sera comme Noël après je me retrouverai chez moi seule. Ils sont venus au zoo, voir, ce n'est pas trop tard. Je suis arrivée, photo, photo, photo. J'ai calmé. Je m'installe. Je commence. Je lis. Une fille de *Midi libre* est là avec un photographe pourri, elle ne m'a pas prévenue. Ils ne me préviennent pas, ils savent que je dis non. Sachant la réponse ils font sans l'accord. Mon père essayait au moins d'avoir l'aval. Par chantage affectif, par : je t'aimerai toujours, à côté de toi mes enfants sont minables. *Midi libre* ne se fatigue pas autant que ça. On la prend en photo pendant sa lecture, on ne le lui dit pas. Elle n'aura pas le temps de faire ouf. On veut une photo d'elle moche la bouche ouverte en train de lire et de postillonner. L'aval elle ne le donnerait pas. Ils prennent la photo, le flash une fois, deuxième fois je dis, fort, je crie : Ça, ça me gêne, MERDE. Ce flash, la photo. Dans le journal ils reproduiront le terme. La poissarde, une nouvelle preuve. Ils font de moi un personnage, une gueularde, poissarde, un monstre de foire, avec son agent, son imprésario, une marionnette, alors que le monstre de l'histoire est Gepetto, est-ce qu'on s'amuse à faire de chair quelqu'un qui est de bois ? Continuons.

Un jeune homme qui était là m'a écrit, et donne son adresse. Hier il n'a pas osé intervenir comme il voulait. Il a deux questions. « La première : Nous qui vous écoutions avec quelque délectation, comment aurions-nous réagi si après la lecture, un quidam nous avait interpellés dans la rue " je vais te sodomiser tu me fais une fellation " ? » Ils me parlent comme ça, je suis leur poubelle pour me parler comme ça, on n'est plus chez nous, avec cette poubelle qui traîne, Jean-Marc, tu ne pourrais pas la mettre ailleurs. C'est bien d'être un produit qui enregistre, impressionne, imprime toutes les marques. Qui peut parler à ma place des gestes qu'ils font quand ils jettent ? C'est un projet littéraire les décrire, un vrai projet romanesque, comment fait le réceptacle pour continuer de parler, c'est une épopée. Il y a aussi le genre : « À Montpellier, vite, donnez-moi une date, je vous aime. » La première question, de cet homme : « Nous qui vous écoutions avec quelque délectation. Comment aurions-nous réagi si dehors quelqu'un, après la lecture, un quidam dans la rue, nous avait interpellés : " je vais te sodomiser tu me fais une fellation. " Nous n'aurions certainement pas perçu la détresse, morale et affective de cette personne et l'aurions rejetée. » Mes lectures ne rendent pas charitable, ça m'est reproché. Chère Christine. Tous bien sûr m'appellent Christine. La petite Marguerite, la nouvelle Marguerite, mais en petit, qui a pris des leçons chez celle qui avait le col roulé, une matière autobiographique, et péremptoire aussi. « Et puis qu'est-ce que vous avez contre les chiens personnellement j'aime beaucoup les chiens. » Alain Françon m'a dit : j'en arrive à la conclusion que la seule possibilité qui reste c'est de se taire. « Pourquoi présentez-vous certaines pratiques comme perverses ? Votre couple homo ou bi ou autre est humain. » Ensuite, « que vous sortiez de votre narcissisme et deveniez une militante. Que vos écrits sortent de ce milieu intello et confiné que nous formions hier soir et soient accessibles à tous. Vous êtes dans la direction pour venir en aide aux gens qui ont une grande souffrance, sont isolés, qu'ils soient acceptés de tous, puissent partager nos jours harmonieusement, Christine ». Il dit que je suis capable à travers mon influence de relever ce défi du 21ᵉ siècle, ils seront beaucoup à me soutenir. Après la lecture, ils m'ont laissée me faire bouillir des pâtes seule chez moi, tous les téléphones étaient sur répondeur, tous les amis sortis, il n'y en avait qu'un qui était là, mais pas disponible, à la télé il y avait Johnny Hallyday. Le grand truc intello de la fin de l'année 99. Claude était en Turquie. Emmanuel sur répondeur. Marie-Christine sur répondeur. J'avais demandé de l'aide collective pendant la lecture, je le disais parce que c'était beau de le dire, plein m'avaient répondu oui. Ils étaient magnifiques. On se serait cru à l'époque de Martin Luther King. I have a dream. Oui oui oui, Oui Christine, oui. Je vais te donner mon portable. On est là. Continue. Tu m'appelles. Une question du public : Est-ce que vous regrettez ? Non, bien sûr qu'elle ne regrette pas. Ce sont des gens du public qui répondent pour moi. Oh ! non. Avaient répondu plusieurs en même temps, de différents côtés de la salle, en chœur. Elle ne regrette pas, avait répondu tout le monde à ma place. Oh non. Elle ne regrette pas, non, bien sûr. Bien sûr que non. Merci. Christine. Christine. Merci d'exister merci de vivre merci de parler. Merci d'exister, merci pour votre œuvre et pour votre vie. Ces gestes étaient splendides. L'espoir collectif, le public a des gestes uniques. Mais après c'est d'un seul mouvement que tous ils rentrent à la maison. Mais je ne regrette pas, ils ont raison.

Damien m'a dit : tout ce que je vois, c'est qu'on est le 26 octobre, et que le 26 octobre, on en sort 250 à 300 par jour, ça va continuer comme ça jusqu'à la fin de l'année, et au-delà. Moi c'est tout ce que je vois. Rends-toi compte que depuis le début, en tout et pour tout on a eu 475 retours, dont 200, des défraîchis, des abîmés. C'est rien, c'est ridicule. Mais oui c'est génial. À mon avis on n'en aura guère plus. Guère plus de quoi tout à coup je m'affole. Guère plus de retours, de retours, ça aurait pu être de ventes. Guère plus de retours, on n'aura guère plus de retours. Ça va bien, très très bien, on n'aura guère plus de retours. Que ceux qu'on a déjà, pour moitié des défraîchis, des abîmés. On en a vendu à ce jour, exactement 42 234. C'est acquis.

J'ai reçu : « Infirmières de nuit, nous sommes devenues depuis peu lectrices de *L'Inceste*. Nous avons partagé votre dernier roman à haute et basse voix, de nuit, pouvant bénéficier parfois de quelques heures de calme... Deux nouvelles admiratrices, vous dites-vous un peu émue. Malheureusement nous sommes au regret de vous annoncer que, loin de nous charmer et de nous apporter la part de rêve que notre métier nous pousse à chercher, votre prose nous a plongées dans un abîme de consternation.[...] Votre sourire un peu coquin, sur la couverture est-il un signe de moquerie adressé au lecteur, ou une invite à découvrir la même expérience que la narratrice ?

« Tant sur le fond que sur la forme votre ouvrage est bâclé. Madame, connaissez-vous le salaire d'une infirmière ? Sachez seulement que pour les 105 francs que nous avons dépensés pour votre ouvrage, nous aurions pu nous offrir trois séries noires de Thierry Jonquet. Peut-être un rendez-vous avec l'atelier d'écriture de votre quartier serait-il bénéfique...

« Quant aux tests à pratiquer pour savoir si vous êtes " positive ", nous vous conseillons : gonocoque, chlamydia, HIV, syphilis... Bon courage. »

Dans une autre enveloppe : « vous avez écrit le livre que je désirais entreprendre. »

C'est tous des cons, et ils sont plus nuls les

uns que les autres, je suis aussi bien chez moi, à me faire cuire des pâtes toute seule, plutôt que leur hypocrisie, leur égoïsme et leurs limites. Nadine Casta, qui aime tellement sa cousine, qui voulait tellement que pour Noël elle soit là, avec qui elle a une relation tellement ancienne et intouchable, d'amour, bref elle l'aime, n'a lu que les passages qui la concerne elle, Jean-Marc m'avait prévenue dès le printemps, elle lira le surligné au Stabiloboss. Une femme m'avait dit chez Molière « vous êtes notre Pouchkine », Jean-Marc m'a dit : c'est normal après ça qu'ils soient tous partis, il faut que tu y ailles à Los Angeles. Le surlendemain, j'ai fait *Droit d'auteurs*. Je n'arrivais pas à faire mes valises pour partir, qu'une envie j'avais, annuler. Frédéric m'a dit « viens », il m'a dit « viens, fais ta valise, prends un taxi, prends l'avion, fais l'émission, ou annule, mais tu viens, et ici, à Paris, on est là, on va s'occuper de toi, tu vas te reposer, tu verras, ça va aller, dimanche on ira au théâtre, vendredi à la soirée, chez Paul, viens, tu mets trois affaires dans un sac et tu viens ». C'est ce que j'ai fait. Frédéric Ferney que j'avais senti agressif était chaleureux à la fin.

« Chère rescapée, La lecture à Molière fut un régal à mon ouïe et à ma vision. T'as bien fait de gueuler après le flash, j'ai aussi très mal apprécié. Je ne suis plus homo. Ni bi ou hétéro. J'ai remarqué dans un journal une description

118

où il était dit que tu rompais les schémas homo, hétéro, familiaux. Je ne supporte plus ce dégoulis de capitalisme pédé. Tu déranges. Les pauvres, ils débarquent, et manque de pot, t'as pas de couilles, mais de sacrées veines. J'attends de lire l'article dans *Têtu*, à l'occasion. Je ne l'achèterai pas, trop cher pour ce torchon homoélitiste. Excuse-moi de t'avoir brusquée un jour, toi avec Claude, un dimanche. C'était au Polygone. J'avais de la rancune. Tu sais ça fait 6 années de chômedu, 7 années de sida. 38 ans de précarité affective et matérielle ; un viol. Une origine familiale immigrée, modeste et névrotique. Maintenant tout ça s'estompe. Je suis en rémission. En tombant sans arrêt sur toi, à la télé, presse, lecture, tu me donnes l'audace, la force, la stimulation d'agir plus efficacement et surtout d'écrire. Fais gaffe à toi, prends soin de toi. Danse de façon frénétique, plonge-toi dans l'océan en hurlant et vois une psy bio-corporelle s'il le faut. T'as un message, une fonction, un rôle. Sister, RELAX. Et si on t'emmerde, appelle-moi et je sortirai mon venin. »

Il signe : Pierrot, dessine une fleur et me donne son numéro de portable.

J'ai lu une interview hier où une phrase me plaît : « C'est pourquoi les vies des écrivains, sont des vies de combattants, des vies expérimentales — ce que Kafka nomme des natures de soldat. » C'est le mot expérimentales. Faire un test ça ne se décide pas, ça vient, ça se fait, à toutes les étapes on s'engage, et on ne bifurque pas. Oh non, elle ne regrette pas.

« Je vais peut-être poser une question un peu naïve, mais... n'est-ce pas un règlement de comptes ? » Plus je la fixais, plus son visage se déformait, j'ai répondu : Vous avez un très joli sourire, puis j'ai dit : Question suivante. J'ai eu : « Est-ce que vous êtes consciente que votre fille va vous lire ? » J'ai répondu : Je ne peux pas faire deux fois le coup du sourire. Il y a eu aussi de beaux moments qui me faisaient penser aux grandes réunions sur les droits civils en Amérique, les élans, les passions, la justice, la vérité, et la soif de liberté. Mais il fallait partir absolument. Los Angeles a été annulé. Après la lecture chez Molière Jean-Paul m'avait dit : tu n'as rien vécu avec Marie-Christine entre vous il ne s'est rien passé, même quand je vous ai vues ensemble, je savais qu'il ne se passait rien, je le voyais bien. Sur un ton de complicité. Un monstre une fois de plus on croit que c'est moi, que je ne vis rien, je suis un monstre qui écrit. Ce sont les choses, les gens, qui m'attaquent, les processus en place. Un lecteur l'a dit dans le courrier des *Inrocks* : ce sont les murs qui se jettent sur cette femme. Jean-Paul m'avait dit aussi : attention quand ça va retomber. Ce conseil, beaucoup l'avaient utilisé. Il y a eu Strasbourg.

Une bonne femme : si c'est ça, si c'est un strip-tease, je peux le faire. Une autre pour prendre ma défense : ça vous dérange madame, ce déballage. Un homme m'a défendue. Une femme derrière lui a dit : de toute façon il n'y a que les hommes qui peuvent l'aimer. Un homme a dit : pourquoi vous êtes venue ? J'ai dit : je ne regrette pas. Une femme a dit : Vous vous trouvez intéressante ? Ma réponse : Vous ne trouvez pas ça intéressant, vous, ce qui se passe maintenant, là maintenant. Vous voyez quelqu'un qui vous livre les armes, qui vous les charge, qui vous les donne chargées dans la main, toutes prêtes, des grenades, prêtes à être balancées, la plupart, vous les lancez. Je ne regrette pas d'être venue, c'est Strasbourg, j'ai dit, ça ne m'étonne pas. Ils n'aiment pas qu'on attaque leur ville. Une femme qui était psy a dit : quel est le rapport entre votre vie et votre écriture. J'ai répondu : je suis une personne vivante et mon écriture est vivante, d'un ton sec et j'ai regardé ailleurs, parfois ras-le-bol. Je n'ai pas attendu de voir l'effet sur son visage. Le samedi, j'ai déjeuné avec Philippe Sollers. Ma force il m'a dit c'est votre enfant, cet or. Vous pourriez écrire n'importe quel délire, s'il n'y avait pas cet enfant ça ne dérangerait personne, ça ne dérangerait pas. Et qu'il fallait tout enregistrer, arrêter de faire des lectures sans traces. Sinon j'allais m'épuiser, pour rien, pour pas grand-chose, bon mais ça m'entraîne, il faut pour l'instant que je considère ça comme un entraînement. Une fille Lacan lui avait dit « quand on écrit il faut faire attention à sa progéniture », leur perversité éclate face au rapport enfants-littérature.

Marie-Christine m'a dit : il faudrait qu'un jour on aille à la Maison de la Lozère, je lui ai dit : je déteste, tout en réservant sans lui dire, en lui faisant la surprise. Nous sommes au restaurant, elle est contente d'être là, dans celui-là. Le maître d'hôtel nous accueille, j'ai du mal à choisir. On discute. Elle me parle du bond en avant qu'elle a fait depuis le livre, elle a changé. Elle me parle de tout ce mouvement. Elle me dit un rêve qu'elle a fait, elle était obligée de me protéger, j'étais violemment attaquée. Sa copine a lu le livre, les soixante premières pages à Auchan debout, elle a acheté une bouteille de whisky elle se l'est enfilée, elle a appelé Marie-Christine et lui a dit « tu l'as aimée ». Elle habite Paris, elle était trois heures après à Montpellier. Elle a pris l'avion.

Thierry Guichard va écrire encore que je fais du Lelouch, *Une femme et une femme*, comme il l'a écrit déjà, *L'Inceste* a de quoi irriter surtout dans les cent premières pages il a écrit. Il dit que je « narre la crise amoureuse » que je vis avec une autre femme. Il dit que je lui téléphone cent fois, que je joue une comédie qu'on croyait réservée aux jeunes lycéennes, que je me regarde pleurer, que je le dis, là, justement, en écrivant, et que je mélange tout, malaxe tout et que je vais trop vite. Il dit qu'on s'en fout un peu de cette relation qui n'en finit pas de finir, *chabadabada*, et même on verrait bien Lelouch se coller derrière sa caméra sur les plages de l'île de Ré. Il dit que c'est un peu pauvre, côté imaginaire, les rêves que j'avais : une grande maison, la plage, le bonheur. Et puis après le reste de l'article est bien, ça rattrape le coup. C'est psy mais ça rattrape quand même. Mais des rêves pauvres côté imaginaire, ça me blesse. Pauvres, oui, en apparence, pauvres. J'ai des rêves beaucoup plus riches, je n'en ai pas les moyens, je le sais. J'ai des rêves d'une richesse et d'une puissance s'il savait.

Sonia Rykiel n'a jamais mis les exemplaires de *L'Inceste* qu'elle avait demandés chez Stock pour sa vitrine. 30 octobre maintenant, elle ne les mettra jamais. Jean-Paul m'a dit plusieurs fois, attention quand ça va retomber, il l'a redit. « Je savais que tu ne vivais rien, qu'entre vous il ne se passait rien, la lecture du livre me l'a bien confirmé » il ne l'a dit qu'une fois, « ça va retomber » plusieurs, et aussi plusieurs « c'est une drogue, est-ce que tu en es consciente ? » Consciente, consciente, est-ce que. Tu es consciente. Que. Que Léonore va lire. Que peut-être elle va mal. Que ce sont des règlements de comptes mes livres coup de poing. Que ça va retomber. Que c'est une drogue. Est-ce que le livre suivant est en route ? Est-ce qu'il y en aura un autre ? Comment tu le vis ? Est-ce que vous êtes consciente ? Ou juste parfois : vous ne vivez rien. Est-ce que vous êtes consciente ? Ou juste : vous êtes dans le coma. Vous êtes dans un état entre la vie et la mort, d'ailleurs vous ne vivez rien. Votre fille, la conscience. La conscience. L'avez-vous bonne ? L'avez-vous mauvaise ? Avez-vous conscience ? C'est une drogue. Est-ce que vous êtes encore consciente ? Est-ce que vous êtes encore parmi nous ? Est-ce que vous allez pouvoir vous en passer ? Ou est-ce que toute votre vie, votre fille va devoir vous assumer ? Consciente ou inconsciente. Consentante, ou victime inconsciente. Victime inconsciente ou consciente des dégâts que vous faites. Inconsciente, ou consciente. Consciente, ou inconsciente. Avez-vous donc une âme, ou ruine de l'âme.

Libération m'a demandé d'écrire ma semaine, du 29 octobre au 5 novembre pour la page Rebonds en 8 500 signes. Je suis à Paris, le 31 et le 1er étaient fériés, mais le 2 j'ai appelé Jean-Michel Helvig pour lui dire que j'aurai sans doute trop de signes. Je lui demandais si je pouvais aller un peu au-delà de ce qui était convenu. J'avais un rendez-vous au

Flore à 14 heures, puis j'allais chez Stock. Il y avait eu un coup de téléphone de Philippe Angot. Armand avait dit à Catherine : il y a un type, je n'arrive pas à m'en dépêtrer, il dit qu'il s'appelle Philippe Angot et qu'il est son frère. Catherine l'a pris, elle l'a senti nerveux, elle a pensé tout de suite « un gag ». Il voulait mon numéro de téléphone. Il insistait. Alors mon adresse, pour envoyer un Chronopost. On ne donne jamais les coordonnées des auteurs. Il a donné son numéro de portable, si elle me voit. Je viens d'arriver, elle m'entend. Elle descend, raconte. Elle me donne les numéros, il est 15 h 30. Je lui dis : à mon avis c'est une bonne nouvelle mon père est mort. J'appelle. Capucine est là aussi, elles me disent : on te laisse, on ferme la porte. Je dis : non, ouvrez tout. Elles restent à proximité, ou carrément dans la pièce. Je téléphone. Je fais un signe à Catherine. C'est bien ça. C'est bien la bonne nouvelle. Je dis à Philippe : enfin une bonne nouvelle. Tout en force, je fais tout en force et en arrogance. Je lui dis : je te donne mon numéro de téléphone. Il me dit : non, je suis en voiture. Je lui dis : quand ? Il me dit : à huit heures. Je monte dans le bureau de Jean-Marc. Il y a Frédéric, la première fois qu'ils ont rendez-vous, qu'ils sont dans le bureau. J'entre, la fenêtre est ouverte, sans rien demander je la ferme, j'ai froid, je me dis que j'ai le droit, j'ai froid. Mon père est mort. Mon père est mort, je peux fermer la fenêtre même d'un bureau qui ne m'appartient pas, mon père est mort, si aujourd'hui je ne peux pas fermer la fenêtre de ce bureau où j'ai froid, quand ? Jamais, alors. J'ai écrit *L'Inceste*, ça se vend, et, je peux fermer la fenêtre. Ils rient, tous les deux, pas de la fenêtre, d'un truc entre eux, j'entre dans le bureau. Je fais une drôle de tête. « Tu fais une drôle de tête. » Mon père est mort. Philippe Angot m'a appelée. C'est la première fois de sa vie qu'il m'appelle, c'est pour me dire ça. Et je suis là, chez Stock, il a perdu mon numéro de téléphone. Sollers est dans le couloir. Il veut entrer dans le bureau. Jean-Marc dit que ce n'est pas possible, c'est lui qui va sortir, le rejoindre dans le couloir. Il nous laisse seuls Frédéric et moi, je téléphone à Marie-Christine, Nicole, sa secrétaire : c'est la troisième communication en une demi-heure, ça m'ennuie de la déranger. Je lui dis : c'est très urgent. Marie-Christine me dit : allô. Je lui dis : mon père est mort. Elle me dit : c'est pas vrai ! Ça paraît incroyable. Je narre, comme dirait Thierry Guichard, ce passage, je le narre parce que c'est le moment où je passe d'Œdipe à Antigone. Œdipe on était indifférencié, malaxé dans un même crime, l'agressée et l'agresseur mélangés, le féminin et le masculin indifférenciés, la marque du féminin, le E, c'était *La Disparition* de Perec, la marque du féminin bouffée, dans le O, n'ayant plus qu'une petite place où se recroqueviller, le O, E, dans le O. Œdipe, Jocaste, la ville était foutue. Œdipe aveugle, aveuglé, a vu des choses invisibles, des choses impossibles. Quand j'étais Œdipe je n'étais pas toute seule. Il y avait O, il y avait E, il y avait Jocaste, vous y étiez tous, mais j'étais la seule aveugle. Ce sont les Straub qui filment, c'est un plan fixe et c'est un plan noir.

Œdipe : Ô Antigone, fille du vieil aveugle, où arrivons-nous ? Dans quel pays ? Qui aujourd'hui accueillera avec de maigres dons Œdipe errant ? Il demande peu et reçoit moins encore. Mais c'est assez pour moi : le malheur, le grand âge et ma fierté m'ont appris à me suffire de peu. Ma fille, si tu vois une place où nous asseoir, lieu profane ou enclos sacré, arrête-moi, installe-moi ; nous demanderons où nous sommes. Nous sommes des étrangers, nous nous renseignons auprès des habitants et nous ferons ce qu'on nous dira.

Elle lui répond : Pauvre père, Œdipe, j'aperçois au loin, des remparts qui protègent une ville. Ici, c'est un bosquet sacré. Les rossignols y volent et l'emplissent de leur chant. Repose-toi sur cette pierre rugueuse. Le chemin que tu as fait est long pour un vieillard. Ils s'asseoient.

Œdipe : Assieds-moi et veille sur ton aveugle.

Antigone : Voilà longtemps que je n'ai plus à l'apprendre.

Œdipe : Peux-tu me dire à présent où nous sommes arrêtés ?

Antigone : Ici je ne sais pas mais là-bas c'est Athènes.

Œdipe : Oui, tous les passants nous l'ont dit.

Antigone : Est-ce que je dois demander le nom de cet endroit ?

Œdipe : Oui, ma fille, et si on peut y habiter.

Antigone : Mais on y habite ; je crois que je n'ai pas à bouger, je vois un homme tout près d'ici.

Œdipe : Est-ce qu'il marche ? Est-ce qu'il vient vers nous ?

Entre un homme.

Antigone : Le voici près de nous. Tu n'as qu'à dire ce que tu veux lui dire, il est devant toi.

Œdipe : Ô étranger, cette jeune fille qui a des yeux pour elle et pour moi m'apprend que par bonheur tu viens nous renseigner sur ce que nous ignorons.

L'homme : Avant d'en demander plus, lève-toi de là ; tu es dans un lieu où il n'est pas permis de passer.

Œdipe : Quel est ce lieu ? À quel dieu est-il consacré ?

L'homme : On ne peut y demeurer ni le traverser. Effrayantes les déesses qui le possèdent, filles de la Terre et de l'Obscur.

Œdipe : Qu'elles accueillent avec faveur leur suppliant ! Je ne quitterai plus ce lieu où je me fixe.

L'homme : Je n'aurai pas le front de te chasser d'ici avant de demander à la ville ce qu'il faut faire.

Œdipe : Par les dieux, ne refuse pas de répondre à un homme errant, ne le méprise pas. Il y a des gens qui habitent ici ? Ont-ils un chef ou le peuple a-t-il la parole ? Il a la parole et la force ; qui est-ce ? Quelqu'un irait-il le trouver de ma part ?

L'homme : Pourquoi ? Quel profit attendre d'un aveugle ?

L'homme sort.

Œdipe : Ma fille, est-ce que l'homme est parti ?

Antigone : Il est parti, tu peux parler sans crainte, père, je suis toute seule avec toi.

Fabienne P. : L'aspect qui me dérange le plus dans cet échange épistolaire, c'est qu'il n'existe pas d'échange entre nous. Une réponse permettrait un dialogue et non plus une impasse dans laquelle je me trouve. Cette lettre est la troisième que je vous adresse. J'habite à environ quarante-cinq kilomètres de Bordeaux, ville où vous êtes déjà venue, je crois. Je me demandais si vous aviez en votre possession le permis de conduire ? Si oui, aimez-vous faire des balades en voiture ? Me promener en voiture est un passe-temps que j'apprécie vraiment. J'aime me sentir libre d'aller où je le désire. Préférez-vous une région de France à une autre ? Êtes-vous plus dans votre élément lorsque vous êtes à la campagne, à la mer ou à la montagne ? Pour ma part, je préfère dans l'ordre : la campagne, la mer, la montagne, où je n'aime guère me rendre car j'ai l'impression d'y étouffer.

Un type est entré dans la librairie Molière et a dit : Vous êtes un beau sosie de Christine Angot.

Le Coryphée : Quel est ce vieillard ?

Œdipe : Il n'est pas des plus heureux, loin de là, je ne me servirais pas des yeux d'un autre dans mes marches, je n'appuierais pas ma stature sur plus faible.

Plus faible c'est moi, je perdais ma force dans les voyages en train quand j'allais le voir, ou en voiture quand il venait me chercher à Reims. Je perdais ma force en route. Ma force de jeune lycéenne, qui narre, la force qu'on croyait réservée aux jeunes lycéennes, et à leurs rêves côté imaginaire pauvres, je la perdais pour qu'il s'appuie sur plus faible. Je fais une confusion d'Œdipe, bien entendu, moi-mon père, mais ça se termine, c'est la phase finale, je suis en train de me détacher pour être enfin toute seule, être Antigone toute seule cette fois. Et m'acheter un parfum pour moi seule, sans l'offrir, le garder, *Cristalle* me va mieux à moi qu'à Marie-Christine. Vendredi au théâtre, seule, la société montpelliéraine ne me donne pas un regard ou insupportable. Marie-Christine s'était trompée de place on avait des billets de première galerie. J'ai monté l'escalier, la laissant discuter avec Herman, je m'installe et je l'attends. À la rangée devant moi il y a tous mes ennemis, anciens amis qui détournent le regard. J'ai cru qu'elle était partie, elle était à l'orchestre, elle s'était trompée. Ismène. Est-ce que tu penses l'enterrer quand c'est interdit ? Quand Créon s'y oppose ?

Jean-Michel Helvig ne s'est pas rendu compte qu'il faisait Créon, il interdisait par les lois de la cité à moi, la fille d'Œdipe, aveuglé, frappé d'Alzheimer, condamné à l'enfer, de lui donner une sépulture correcte. Pour moi qui suis écrivain ça pouvait être un texte, il m'en empêchait. Alors qu'il m'avait confié cette semaine-là la page, la pleine page. Il était Créon croyez-vous qu'il s'en serait rendu compte, il se disait responsable de rubrique à *Libération*, chef de rubrique, de la page Rebonds à *Libération*. *Œdipe*, *Œdipe à Colone* et *Antigone*. Alors eux, quitter la ville, Antigone et Œdipe, on peut dire, dans les premières pages de l'installation à Colone, eux quitter la ville, alors ça. Quitter la ville, alors eux. Je me rends compte que je suis Antigone, et les rapports avec Ismène que j'ai, ce n'est pas facile. Antigone, anagramme de Angot, il reste ine et il manque Christ, ce qui est tout à fait normal, on est dans la tragédie antique. Et puis ce n'est pas seulement ça. On est encore à l'époque du sacrifice. Je pose ma main sur la jambe de Frédéric. Je pleure évidemment, Lelouch tourne *La Mort du père*, la scène dans le bureau de l'éditeur. Jean-Marc rentre, j'aperçois le visage et la silhouette de Philippe Sollers dans le couloir. Lelouch le prend en arrière-plan entre deux portes, il est en imperméable, mastic, il a une écharpe. Nos deux regards se croisent. Lui qui avait dit à Jean-Marc, « dis-lui que je l'embrasse affectueusement et presque incestueusement », en septembre, ça m'avait moyennement plu, et là nos regards se croisent, Lelouch tourne, Jean-Marc rentre. Il me dit : On a parlé du prix Novembre. Il y a trois voix pour toi, tout le reste est contre. Je lui dis : Jean-Marc, tu te débrouilles, mais cette année je le veux ce prix. Si je ne l'ai pas j'en tue un. Je te préviens. Et puis après, le prix, 200 000 francs, je le double avec l'héritage. Je ne l'ai pas eu. Mais ce matin Philippe m'a téléphoné, il voulait mon adresse pour le notaire. Dans le bureau que Lelouch a choisi pour les repérages, je passe du rire au larmes, on croyait ça réservé aux lycéennes, d'ouvrir la fenêtre ou de la fermer je ne sais plus, peu importe, enfin de faire des gestes. On croyait réservé aux lycéennes de faire de grands gestes. Réservé à Antigone une fois pour toutes d'éviter les rapaces sur le corps des morts. Je passe du rire aux larmes, caméra à l'épaule. On dirait que je suis filmée tellement j'en fais. On dirait que je suis filmée tellement j'ai des réactions d'un extrême à l'autre. On dirait que je joue la comédie tellement je suis méprisante avec cette mort, j'ai tellement d'humour avec cette mort, je dis : Il y a un appartement rue Cardinet, c'est ça que je prends. Je dis, ah mais non je ne veux pas habiter là-bas, dans cet appartement, pour plein de raisons, et puis le quartier. Jean-Marc m'a dit : tu le loues à Gabriel, avec sa copine ils sont prêts à mettre 6 000 francs, avec, tu te prends un appartement à Paris pour toi où tu veux. Et puis on se marre, tous les trois, là, juste un quart d'heure après le coup de fil. Je dis : je crois que je ne vais plus quitter Strasbourg, toutes les visites au notaire. Je dis que je vais être riche, qu'on va tous partir en voyage, que Frédéric je le prends, je le paie comme garde du corps, et allez je fais vivre tout le monde, j'ai les deux cent mille francs du Novembre, plus l'héritage, plus mes droits d'auteur, et plus plus plus. Je ris comme dirait Lelouch pour masquer les larmes. C'est Alessandra Martinez qui joue mon rôle. C'est Luchini qui joue mon frère. Tout ça caméra à l'épaule, ça bouge. Ça passe du rire aux larmes. Mais il n'y a pas de larmes. Parce que Antigone, ça se coince dans sa gorge, ah non, elle ne va pas livrer le corps aux rapaces, dût-elle enfreindre les lois de la cité, dût-elle enfreindre le cahier des charges, l'attente des lecteurs, elle veut écrire dans *Libération* : 2 novembre : Mon père est mort, sur une page en dessous toute blanche, une poignée de terre suffira. Mais Créon, toujours le même, l'emmerde avec les lois de la cité, il n'a pas compris qu'Antigone c'est Antigone, et qu'Antigone fera tout contre les lois de la cité, pour qu'un beau jour fût-ce celui de la mort je puisse dire à mon tour, dans les pages Rebonds, bonne occasion, 2 novembre, mon père est mort, poignée de terre. À mon tour. Mais tous les édiles de la cité sont contre moi, alors je vais les avoir encore plus, je vais écrire un texte, il est paru, jusqu'au dernier moment je n'en étais pas sûre. Ça s'appelle *La Page noire*, et il l'a Créon son compte de signes cabalistiques. Je dis que je vais aller à l'enterrement pour qu'il n'y ait pas d'honneur sur ce cadavre. Mais dans *Libération* je fais le contraire. Je suis déboussolée. Lelouch filme une caméra complètement affolée. En fait je ne disais rien, je parlais très peu, en fait Lelouch a tort je suis dans la retenue parce que je ne sais pas ce qu'il faudrait exprimer. J'avais écrit dans *L'Inceste* « je touche les ordures et normalement les morts, moi seulement les ordures, les intouchables en Inde touchent les morts », là ça y est, les morts aussi. Une poignée de terre, une simple page noire, une sépulture correcte. Sans aucune mention d'aucune perversité, rien, mon père est mort, je deviens une fille enfin respectée, à la suite de la page noire, je reçois quelques lettres plus ou moins de condoléances de lecteurs, et ça me touche. Parfaitement oui. On a des rêves côté imaginaire un peu pauvres. Recevoir des lettres de condoléances, côté imaginaire, qu'est-ce qu'ils sont pauvres, les rêves Angot. Je me pose en même temps des questions sur mon livre en cours. J'étais Œdipe et je deviens Antigone. Quitter la ville, *Œdipe à Colone*, et vendredi dernier, plus tard, chronologie bouleversée comme chez Lelouch, au théâtre à Montpellier, je ne sais pas ce qu'ils ont les gens, ils détournent le regard. Dans Sophocle j'ai trouvé des phrases là-dessus, je ne suis plus étonnée, mais ça reste difficile.

Au Conservatoire dans ses cours, Dominique a dit « ne t'offre pas en pâture. Tu vas leur donner matière à discussion, mais alors... » Elle a dit « c'est l'enquête qui commence. Sans les engueuler ». Sans engueuler les autres membres de la cité. « J'aurais le cœur bien dur si je n'étais pas attendri de vous voir assis là comme cela », disait l'élève. Dominique : « Prends la parole. Pas en dessous. C'est une énonciation. » Il n'y arrivait pas, alors elle a dit « vous vous êtes décentrés ». Ils ont repris, elle a dit « respire au bout du vers. Parce que si tu ne respires pas, tu accumules les phrases, et à la fin tu es plein de phrases ». L'élève qui faisait Œdipe a dit : « Car votre souffrance à vous, elle ne touche qu'un seul homme, chacun séparément, et personne d'autre. Mon âme à moi pleure en même temps sur la ville. » Sur mes notes, je l'ai encadré ça. Puis : revenir à l'enquête, Dominique continuait, insistait sur l'enquête, Sophocle mène une enquête, que s'est-il passé ? Pourquoi y a-t-il une telle plaie sur la ville ? Il s'agit de trouver la vérité. On va enquêter. Je comprenais tellement. Dominique a dit à un élève blond, Créon, « ne ris pas. Je sais quand tu ris. Ça donne un swing de l'âme, qui ne va pas ». Puis à l'autre « sers-toi de cette tension (le face-à-face avec le public) pour souligner l'importance qu'il y a à dire tout devant tout le monde, à rechercher la vérité devant tout le monde, ce qui est une chose considérable ! » J'ai fait une marque dans la marge. « Il n'y a rien qui se dit derrière, tout se dit devant, devant, tout le monde, tu vois. » Le texte continuait. Et Dominique « ce qui nous touche c'est la clarté de l'énonciation, ce n'est pas une vibration émotionnelle, c'est le courage ». J'ai fait une marque dans la marge à : « Plus tu parles, plus tu t'éclaircis, plus ça s'ouvre, c'est ça qui va produire le tragique. » Puis elle a dit « il se met tout de suite au boulot pour sauver la ville », « il est taraudé », dit-elle avec le doigt sur la tempe. Elle disait : Il faut être comme un renard pour chercher la vérité, comme une bête sauvage pour chercher la vérité. La forêt. Ça, vous y arriverez si vous êtes dans le présent. Mais pour jouer, il faut être plus simple. Sauver la ville, sauver la ville, ils sont dans la pulsation, ils ont le même pouls. Œdipe et Créon avant l'arrivée de Tirésias, avant de savoir. Elle avait les mains sur les hanches : Le type, il se met au boulot, mais devant les autres. La confiance. C'est tragique. Elle parlait d'Œdipe et disait à l'élève : ne perds pas le fil de l'enquête. Il y a une passion dans ce qu'il fait, la passion de la vérité. Elle lui a dit : Je te demande de rendre ce problème complètement étranger à lui. Là, j'ai mis des flèches devant la phrase.

Entre Antigone. Le coryphée dit : À cette vue me voilà moi-même emporté loin des lois, je ne puis retenir mes larmes de couler je vois Antigone qui s'avance vers la couche du sommeil suprême. Parce qu'elle a été condamnée par Créon qui a dit : Je la mènerai loin des pas humains, je l'enfermerai vivante dans un antre rocheux avec juste assez de quoi manger pour que je reste pur, pour que le pays soit exempt de toute souillure. Je sais qu'on va se demander pour qui je me prends encore. Il faut que tu jettes de la terre sur ce cadavre. L'occasion que j'ai de le faire, je la trouve. Je monte dans le bureau de Jean-Marc lui dire. Je vais retéléphoner, et je dis à Jean-Michel Helvig ce que je vais faire comme Journal de la semaine : mon père est mort. 2 novembre, je viens de l'apprendre. (Il me dit « désolé ».) Ça va donner lieu à quatre jours entiers de négociations et d'incompréhension totale. De réflexion, de coups de fil avec Jean-Marc, avec d'autres personnes de *Libération*. Il voudrait que je lui envoie ce que j'avais fait, puisque la matière est là. Il est contre la page blanche. Je lui dis : elle n'est pas blanche. Il faut qu'il réfléchisse, je lui demande de réfléchir dans mon sens. Mais il prend sa décision dans le sens opposé. Et pourtant la ville dit « elle est de toutes les femmes celle qui mérite le moins pour son glorieux acte une mort infamante ; elle qui n'a pas permis que, tombé en combat, son frère sans sépulture soit la proie des chiens carnassiers et des oiseaux ; ne faut-il pas l'honorer à prix d'or ? » Moi exactement exactement pareil, le 9 novembre, tout le monde pensait que ce serait moi qui aurais le prix Novembre, rebaptisé Décembre, à la suite du changement de sponsor, le papetier Cassegrain s'était désisté, Pierre Bergé, pdg de Saint Laurent, le remplaçait, il avait une voix. Il était pour moi, avec Arnaud Viviant et Philippe Sollers. Tous les autres ont voté contre, ils ont voté pour un journaliste qui s'appelle Askolovitch, qui a écrit un truc sur le Front national, paru en juin. Arnaud est sorti en disant « jamais les débats n'avaient été aussi violents », Sollers a dit « ç'a été festival d'hypocrisie », Pierre Bergé était en rage d'avoir dû donner son fric à ce journaliste et de me laisser en plan. Cela dit, quand les résultats ont été annoncés, nous sommes au Lutétia, 9 novembre, treize heures, c'est Schneidermann, président du prix qui annonce la bonne nouvelle. Je savais que je ne l'avais pas, Sollers avait téléphoné pour dire « festival d'hypocrisie » avant. Les gens qui entraient me disaient « on est venus vous féliciter ». Ça paraissait normal à tout le monde, juste, mais cinq ont voté contre et il y a eu une abstention. De qui l'abstention ? Devinez de qui ? De Jean-Paul Kaufmann bien sûr, celui qui avait été retenu à Beyrouth comme otage. Abstention. Il a tellement appris comme otage à survivre, abstention, entre mon livre et l'autre, il s'abstient il ne sait pas. Il ne sait pas, il s'abstient, il préfère s'abstenir. Entre quatre murs. Dans ces cas-là, abstenons-nous. Abstinence, régime, diète, je ne demande pas plus que ce que j'ai dans mon assiette, pas un mot plus haut que l'autre. Je n'ose pas imaginer si Ulysse s'était abstenu dans ses voyages. J'écris finalement dans la rage un texte qui s'appellera *La Page noire*. C'est ma poignée de terre sur le cadavre. Ça paraît le six, le samedi, je suis rentrée à Montpellier, le cinq, la veille de la sortie.

Il y a eu deux sortes de gens. Ceux qui

m'ont dit : C'est pas vrai ! Ceux qui m'ont dit :
Putain ! Ceux qui m'ont dit : Non, c'est pas
vrai ! Ceux qui m'ont dit : Non ? ! Ceux qui
m'ont dit : C'est pas vrai ? Quand ? Et puis
une deuxième sorte de gens, qui m'ont dit :
Comment tu le vis ? Comment tu le prends ?
Ceux qui, quoi qu'il arrive, restent toujours
caméra à l'épaule en me voyant. La prochaine
fois que, dans une interview on me dira « il
n'y a pas marqué roman sur la couverture », je
répondrai, j'ai trouvé la réponse cette nuit, je
ne dormais pas, pour d'autres raisons, en mon-
trant mon front : et là, il n'y a pas marqué
roman non plus. Le 9 novembre, au Lutétia,
Schneidermann annonce le lauréat, Lætitia
Masson est venue avec moi, elle m'a dit « c'est
bien que je te filme, que tu l'aies ou pas », je
ne l'ai pas, elle me filme. Sur l'estrade on
annonce le lauréat mais elle me filme, et Sollers, juste après l'annonce, me prend par les
deux épaules et m'embrasse, et Arnaud aussi,
et bien sûr c'est nous qu'on prend en photo
parce que, ceux de l'image, ils savent très bien
que c'est de notre côté les héros. Et de notre
côté que ça se passe, chez nous, main contre
épaule, caméra pour tenir. Une fille sur la Cinquième m'a dit : c'est comme Houellebecq,
vous vous mettez minable. Je protestais naturellement. Elle a dit : c'est un compliment,
dans vos livres ce sont des anti-héros tout de

même. Moi : je suis au contraire une super-héroïne.

Créon : Est-ce une conduite d'honorer le désordre ? (À propos d'Antigone.)

Hémon, son fils : Je ne demande pas qu'on honore le crime.

Créon : N'est-ce pas cette maladie-là qui la tient ?

Hémon : Le peuple de Thèbes ne le pense pas.

Créon : Faut-il que je gouverne au compte d'un autre ?

Hémon : Il n'est pas de pays qui soit à un seul.

Créon : Un pays n'est-il pas le lot de son chef ?

Hémon : Comme tu régnerais bien sur un désert !

Créon : Le voilà, ce me semble, défenseur d'une femme.

Hémon : Oui si tu es femme, car je n'ai souci que de toi.

Créon : Misérable ! quand tu viens juger ton père ?

Hémon : Parce que je te vois faillir à la justice.

Créon : Je suis en faute quand je fais respecter mon pouvoir ?

Et le mot de la fin, Hémon : Tu ne le respectes pas quand tu piétines les honneurs des dieux.

On me le dit, on me le sous-entend « n'est-ce pas cette maladie-là qui la tient ? » La maladie de respecter les honneurs des dieux, prétentieuse. Passer d'Œdipe à Antigone, vous en voyez beaucoup chez les contemporains ? L'épopée, le mythe, la tragédie, avec Helvig, Lindon, Sorin, Roberts, Sollers, Marie-Christine, Monnier, Herman, Masduraud, Maryse, Jean-Paul, Jean et Fanette Debernard, Laurent, Frédéric, Emmanuelle, et l'autre l'absentionniste, et les lecteurs, et François Bon, et Olivier Cadiot qui m'a pris le pull que j'avais posé dans une fête, je n'ai pas le temps de tout dire, je l'avais posé, pas le temps, tout simplement pas le temps. La fille qui a créé un site sur Internet, pour se faire référencer, est allée demander à François Bon, car il a son site, il connaît, de la mettre dans ses liens, elle qui est jeune. Il ne l'a pas fait, elle a compris pourquoi plus tard, il n'avait pas du tout apprécié mon texte dans les *Inrocks* où je brûle, dans la cheminée de Marie-Christine, un livre de Jean Rouaud en riant. En riant. Alors que les nazis ne rigolaient pas quand les livres étaient brûlés, non. C'est pour ça que j'arrête de dire que je suis confuse, je ne le suis pas, quand je vois des nuances comme ça, de taille, qui ne sont pas perçues. Moi je les perçois. Les gens confondent tout, la cheminée de Marie-Christine et les fours crématoires d'Auschwitz, incapables qu'ils sont de percevoir sur les lèvres, toujours les lèvres, très important les lèvres, la nature des personnes. S'il suffit de ne pas brûler de livres pour ne pas être nazi. Je ne suis pas nazie puisque je suis Antigone, mais je suis contre les lois, ça c'est vrai. Ce n'est pas systématique mais souvent, je le reconnais. Quand je les trouve iniques. Je trouve inique que François Bon ait fait la leçon à cette fille qui voulait me défendre. Il lui expliquait doctement qu'elle ne devait pas devenir porte-parole d'un site officiel... de ce genre-là. Il lui expliquait aussi qu'elle aurait dû se trouver en pleine complexité devant ce que j'avais fait, ça devait la faire réfléchir.

Il y a des lettres entières. Il y a une seule personne qui m'a dit que c'était triste, ma fille. Elle a dit à Marie-Christine « tu sais le papa de maman est mort ». Quand je suis rentrée vendredi, j'ai ouvert le courrier, tout continuait. Nous vous adressons cette question : Quelles formes prennent aujourd'hui les manipulations de la langue, quels en sont les bénéficaires ? Une lettre dont la première phrase était : PEUT-ÊTRE N'ÉTAIT-IL PAS NÉCESSAIRE D'ABATTRE TOUS CES ARBRES ! pour toute cette confusion de sentiments ; ces répétitions lancinantes, tellement attendues, entendues. Comme du remplissage. Noircir du papier... Une lettre postée de Madrid : Écrire... à qui ? À Christine Angot, pardi !.......... Ce qui est frappant dans *Sujet*

Angot c'est l'énorme narcissisme. Faire dire à son ex qu'on est belle, émouvante, excitante, ça je ne pourrais pas. Je ne sais pas comment vous faites. Et qu'on a une personnalité hors du commun. Je ne pourrais pas......... Peut-être continuerais-je à vous écrire et à force, vous me marrainerez en littérature. Comme Duras et Yann Andréa, il lui a beaucoup écrit avant de la rencontrer, sauf que nous on ne couchera pas ensemble, je ne suis pas homosexuelle. Quoique. Et sauf que moi, je ne parlerai pas de vous dans mes livres. Qu'en dites-vous chère Christine ? Il y a eu la lettre d'une femme enceinte qui me dit qu'elle va appeller sa fille Léonore. Et puis une femme, Geneviève : ... Et je ne vous ai pas lue Madame, je vous ai regardée vivre. Je vous ai regardée vous emmêler dans votre tête dans votre cœur. J'ai eu envie de vous dire « aimez ». Aimez Marie-Christine. Aimez-la comme elle est, acceptez ce qu'elle est, qui elle est. J'ai eu aussi envie de vous dire : Madame, on ne peut que vous aimer. Dans les mots que votre cœur vomit qui ne se sentirait concerné, dans les mots que vous jetez il y a un peu de vérité pour chacun. Madame, pardonnez-moi de vous écrire, mais je voulais vous dire : laissez-vous aimer, laissez les autres vous aimer. Et surtout Madame acceptez qui vous êtes, ce que vous êtes. Vous êtes si belle et si sensible, vous êtes si déchirée et explosée dans toutes les dimensions. Merci d'avoir l'honnêteté de vous dévoiler et de me laisser regarder votre vie. (Tout, tout continuait donc.) Merci de nous dévoiler, de nous livrer votre cœur. Merci de me rassurer. Madame c'est une grande leçon, c'est un grand honneur de partager votre vie, le merdier de votre tête, merci de ce cadeau. Je marchais dans la forêt, le ciel bleu tout en lumière faisait briller les sapins et les feuilles de hêtres. C'est beau tout cet or dans le ciel. Et je pensais à vous. J'ai même la bêtise d'avoir envie de vous rencontrer. Mais n'y pensons pas. C'est du domaine du rêve ! ! Madame je vous souhaite bon vent. Madame la lumière est aussi là pour vous. Acceptez mes deux bises.

Et puis aussi (respectons la mise en page) :

Lettre de désamour à une pétaradasse déjantée

Ma chaire Angot

Tu pètes les mots

Comme une mob dont on aurait arraché le silencieux au pot.

Silencieuse, tu l'es à la surface de ton être.

Petit cul étroit, poitrine craquante

Que l'on devine sous une blouse trop ample.

Seul, tes yeux dévoilent l'enfermement de ton être.

Fanaux de folie !

Marquée dans ta chair par l'inceste et la sodomie.

Angot, barjot,

Angot, cageot,
Tu pétaradasses les mots.
Maux qui petit à petit ont explosé ton
cerveau
Qui ont fait de toi une déjantée, détergentée.
Oui, oui tu es devenue du détergent à l'état
pur,
Dur, dur
Pour ceux qui n'y prennent garde
Pris dans le fric-frac de tes enzymes
gloutons
Tu dévores âmes et sentiments comme abat-
tus à bâtons rompus
Angot, Dingo,
Angot, Sodo,
Tu mets tes virgules dans le mauvais sens.
Elles sont petites et flasques.
Elles sont l'expression de tes trop nom-
breuses intromissions,
Variantes de tes trop nombreuses intro-sou-
missions.
Je sors en ton déshonneur ma flasque
Et t'asperge de mes sens.
Angot, Bibelot ;
Angot, Hublot.
Ta plume de cristal pétaradasse les mots
Que tu découds et brises comme du verre
pilé.
Je t'imagine Angot l'Africaine
Maniant ton pilon humilié

Te balançant d'avant en arrière
Recherchant pénétration devant par-derrière
Pour te rendre moins humaine
Angot, Clito ;
Angot, Tango.
Tu baises lesbien et danses crescendo
Sur les sentiments d'une nana que tu pié-
tines hystéro
Angot, Crado.
Angot, hors d'O.
Tes bras, guirlandes d'ordures,
Cherchent désespérément étreinte pure.
Assoiffée d'absolu,
Tu sombres, histoire d'O,
Sans fouet ni parure
À la recherche d'un Maître complice
Qui te comprenne sans mot dire.
En cette attente, tu provoques résolue
Sans maudire
Un triste plumitif
Craintif
Chez Bernard Pivot.

D'habitude je change un peu la ponctuation,
et les paragraphes, d'habitude aussi j'en
enlève, mais là, c'était mieux de rester fidèle.
Ça devient pour moi une obligation de vous
rendre telles quelles quelques-unes de vos
perles.

Les bruits commencent à courir que je revois Marie-Christine. Camille Laurens a reçu un coup de fil de Évelyne, prof de philo à Sète. Elle lui dit : j'ai un scoop, on les a vues à vélo, elles allaient dans la direction de chez Christine Angot. Laurence répond c'est possible, l'autre lui dit : ce n'est pas *possible*, je te dis qu'on les a *vues*. Elle n'a vraiment aucune dignité, l'autre. Laurence et moi, on rit. Marie-Christine et moi, on va voir un spectacle au Corum, il y a un groupe d'enfants handicapés. L'un d'eux me donne un grand coup de poing dans le dos. Le 2 novembre mon père meurt, le 7 novembre, je reçois un coup de poing dans le dos, le 12 novembre je pars à Venise. Le 2 novembre, l'article d'Arnaud Viviant est sorti, Claude m'a dit : tu t'en sors bien. Le jour de la mort de mon père, le 2 novembre. Je lui dis : c'est vrai, tu trouves que je m'en sors bien. Il m'a répondu : de justesse. Aujourd'hui, aujourd'hui 2 novembre, il m'a répondu : de justesse. Catherine Nabokov m'a dit : de toute façon tu n'en veux pas de l'héritage. Mais si, j'en veux.

J'étais allongée samedi après-midi, je lisais, Léonore jouait. On avait couru la ville toute la matinée. J'ai senti les larmes me venir aux yeux, c'est rare. J'ai dû changer de pièce. Je me disais « mon père est mort », la page noire était sortie le matin dans *Libération*, une pleine page que j'avais noircie, c'était l'après-midi, il était mort. Il avait été enterré la veille, à Strasbourg par sa famille. Et enterré encore. Les larmes me sont montées aux yeux, je croyais que ça ne viendrait jamais. J'ai rapproché ce bonheur, ce n'est pas le mot juste, du 25 août, où j'avais eu trois pages dans *Libé*, et la veille, quatre dans les *Inrocks*, et une semaine plus tard j'allais avoir l'ouverture du *Monde*, et j'avais eu le 25 aussi *Le Nouvel Obs*. C'était un état de choc et un bonheur. Deux mois après mon père meurt, qu'est-ce que je pouvais rêver de mieux ? Rien, si ce n'est, la continuation, la bonne continuation. Linda Hardy m'a posé la question chez Ardisson « qu'est-ce qui vous fait rêver ? Vous ne souriez jamais ? » Je n'ai pas dit que je n'avais plus rien à espérer. Léonore l'a dit, c'est triste. Il y a eu un coup de fil vendredi, qui me demandait, j'ai demandé qui était à l'appareil, on m'a dit c'est personne. J'ai dit : si ce n'est personne je n'y suis pas alors, j'ai raccroché. Elle a rappelé, j'ai laissé le répondeur, elle a laissé un message, elle a dit : votre livre m'a bouleversée, je voulais vous parler. Elle a laissé passer vingt minutes, elle a rappelé, j'ai laissé le répondeur, elle n'a rien dit. J'ai téléphoné à Frédéric. Il m'a dit, tu es chez toi, c'est ton intimité. Si quelqu'un sonne chez toi, et te dit : bonjour, votre livre m'a bouleversé, je viens prendre ma douche chez vous, tu dis oui ? Il faut que j'aie un endroit. Philippe Angot m'a dit : ton livre, j'ai plein de copains qui l'ont lu, ils m'ont dit que tu n'y allais pas avec le dos de la cuillère, ça ne m'a pas étonné, parce que tu es comme papa, vous aviez des atomes crochus. Je n'ai pas raccroché parce qu'il y avait quelque chose en bout de course dans sa voix. Et *Une histoire vraie,* le film de David Lynch par là-dessus. Philippe m'a dit que je salissais tout ce que je touchais, il ne sait pas s'exprimer, il ne comprend pas la littérature. J'ai voulu dialoguer. Il m'a dit qu'il ne voulait pas être accusé, que c'était la même chose que de faire des reproches aux jeunes Allemands. J'ai pensé qu'on allait se voir, j'ai pensé que Marie-Christine m'avait appelée, j'ai pensé que j'allais aller à Venise le 12, du 12 au 16 novembre. J'ai dit à Frédéric : je suis en train de me réconcilier avec la frange la moins pourrie de la bourgeoisie.

Sur une base de 50 000 exemplaires vendus, Jean-Marc et Philippe Rey ont calculé, qu'ils me doivent, ayant déduit l'avance, environ 700 000 francs. Les droits d'auteur, les droits poche, 200 000, c'est beaucoup. Sans compter les droits poche pour *Léonore, toujours* 30 000. Ceux pour *Vu du ciel* et *Not to be,* que Gallimard publie, mais ce sera peu. Plus les droits étrangers. Einaudi, un contrat de 45 000 francs, un autre éditeur proposait 50 000, mais la diffusion aurait été, m'a dit Jean-Marc, moins bonne, ils ont privilégié la marque, Einaudi. L'Espagne et le Portugal, ça vient de se concrétiser, 50 000 l'Espagne, 13 000 le Portugal. C'est en cours pour l'Angleterre et les États-Unis, les Pays-Bas c'est quasiment fait. Avant j'avais des chiffres plus précis mais je les ai perdus. Je vais prendre rendez-vous avec Philippe Rey, le directeur financier, parce qu'il connaît les moyens légaux de ne pas se faire bouffer complètement par les impôts. On peut étaler sur cinq ans, quand il y a une telle différence d'une année sur l'autre... Bien sûr c'est fini les aides institutionnelles, le CNL a refusé son aide. Alors que. Je demandais une année sabbatique, pour être tranquille, 140 000 francs ils auraient pu me les donner. Je ne vais pas faire ça tous les ans, la saga comme l'appelle Gabriel Monnet, il faut que je vive plusieurs années, sans chaque année la même fatigue, et que je me repose, que je prenne des vacances. On verra. Avec Léonore, et seule. Jean-Marc a proposé de me mensualiser, il a proposé 200 000 francs par an, j'espère avoir des revenus autres, de la SACD ou des divers, ce n'est pas assez. J'ai besoin de dépenser, je le sens.

Le 7 novembre, ouahouh ! me suis-je dit en repliant *Libé* hier matin, je l'avais ouvert, avais parcouru les titres, m'étais arrêtée à la page

Rebonds. J'ai lu et j'ai pensé : pourquoi lirais-je quoi que ce soit d'autre ? ... et pour vous remercier je me permets de vous écrire... avec ce sentiment merveilleux de se sentir de nouveau à l'abri de la laideur et de la contingence, grâce, entre autres, à la si rare façon que vous avez de reconnaître entre deux moments, deux idées, deux sensations, la partie commune, ce que vous appelez votre tendance à « tout mélanger », qui est pour moi ce qu'il y a chez vous, je veux dire dans ce que vous écrivez, de plus magnifique. Vous m'avez agrandi le champ de l'audace. Vous m'avez montré le courage, et le labeur d'être au plus près de soi dans l'invention. J'avais depuis longtemps beaucoup de choses dont vous remercier, mais j'avais peur de vous importuner. Puis je suis tombée sur votre page noire. Alors j'ai pensé que c'était bien la moindre des présences, en ces circonstances, de vous dire ce que je vous dois, et à quel point votre parole, votre regard m'étaient devenus nécessaires.

On en est à quarante-six mille, il en sort 200 par jour, fin novembre, c'est bien. Quitter la ville, je pourrais peut-être le reprendre au début maintenant mon projet. Retracer de ma naissance à ici, tout l'itinéraire et les raisons de partir chaque fois. Plutôt que répondre à peut-être n'était-il pas nécessaire d'abattre tous ces arbres. Pour une telle confusion que vous allez forcément faire en disant qu'on ne comprend rien à ce que je dis. Comme l'a dit PPD aux *Guignols de l'Info*, au nouvel entraîneur de l'équipe de France qui succède à Aimé Jacquet, il a besoin d'asseoir son identité, de s'imposer vu la personnalité d'Aimé Jacquet, et de répéter, tout le temps, qu'il est l'entraîneur maintenant de l'équipe de France, c'est lui. PPD lui pose des questions, il répond à côté, chaque fois par la même réponse : je suis l'entraîneur de l'équipe de France. On ne comprend rien à ce qu'il dit, il répond mal, il répond à côté. Une question de PPD puis : mais je vous dis que je suis l'entraîneur de l'équipe de France, comique de répétition. Tout d'un coup, Frédéric regardait sa télé, un vendredi qu'il était déprimé, PPD dit, la marionnette : Vous êtes comme Christine Angot, on ne comprend rien à ce que vous dites. Et la marionnette de l'entraîneur répond : Non je ne suis pas Christine Angot, je suis l'entraîneur de l'équipe de France. J'étais à Venise, Frédéric a ri, il me l'a raconté au retour, on m'avait donné la chambre à la fresque à l'hôtel des Saints-Pères. Je ne raconte pas ce que j'ai fait à Paris, il y a trop, je suis rentrée à Montpellier, il y a eu le spectacle de Charmatz, il y a eu le problème des places orchestre et corbeille. Tous ceux qui ne m'ont pas dit bonjour, tous ceux qui en ont trop fait. Ma mère qui ne me dit rien. Des lec-

teurs qui m'envoient des lettres de condoléances, ça m'a fait plaisir, j'ai des rêves
pauvres côté imaginaire ça se confirme bien.
Mais je fais des choses héroïques. Je crois. Je
ne sais plus parfois. Au fond de ces anecdotes,
anodines, c'est beaucoup beaucoup d'hé-
roïsme. Je crois. Les gens le perçoivent, c'est
sûr. Sinon je n'aurais pas eu tout le temps à
quitter la ville, j'en reparle tout à l'heure, où
était née ma mère, où travaillait ma mère, et
maintenant, où elle vit. Comme les héros doivent toujours quitter les villes. Parce que nul
n'est prophète en son pays, parce qu'il faut
toujours sortir pour prêcher, et donc prêcher
toujours ailleurs, et donc toujours quitter. Pour
se refaire une virginité. Toujours quitter les
villes où on aurait pourtant pu s'installer.
Toutes les villes sont soulevées par la haine,
Tirésias le dit. Quitter la ville, je ne sais pas si
je vais le faire. Si je reste, j'aurai un appartement plus grand, avec j'espère une terrasse,
Léonore adorerait que ce soit un jardin, peut-
être, j'aimerais avoir une baignoire avec un
jacuzzi, j'aimerais avoir du parquet au sol,
j'aimerais avoir un deuxième poste de télévision, Léonore pourrait le regarder sans que ça
fasse du bruit à côté de moi. Je ne sais pas si
je vais quitter la ville. À ne pas dire bonjour
aux gens... à être devenue une sorte de personnage... c'est difficile bien sûr mais je m'en
fous il y a des jours, car je le sais bien que

personne ne réussira à faire de moi un personnage. Les ficelles sont prêtes, mais je suis une héroïne, pas un personnage, mais une personne qui parle et qui bouge. Ulysse décide de s'arrêter. Ils atteignent l'endroit souhaité, il y a une caverne ombragée de lauriers. Le cyclope y a son gîte, il y vit seul, à faire paître ses troupeaux, et ne pense qu'au crime. Ulysse débarque emmenant avec lui douze hommes d'élite. Ils arrivent à la caverne, Ulysse porte un tas de branches mortes pour un feu. Les élites fuient au fond de la caverne avec lui. Le cyclope ferme l'entrée avec un gros rocher qu'on ne pouvait pas faire bouger. Il leur demande leur nom. Étrangers, votre nom ? D'où nous arrivez-vous ? D'où êtes-vous originaires ? Ils ont tous peur. Ulysse prend la parole, explique, et demande au cyclope son hospitalité au nom des dieux, de Zeus. Le cyclope prend deux hommes dans ses mains comme deux petits chiens, les rompt contre terre, leurs cervelles coulant sur le sol l'arrosaient, ayant déchiqueté leurs corps il en fait son souper, il ne laisse rien. L'énorme rocher bouche la porte. Le cyclope en prend deux autres plus tard pour déjeuner et il ouvre le rocher pour faire sortir son troupeau. Ulysse en profite pour fabriquer un pieu en bois d'olivier. Il fait tirer au sort quatre de ses gens pour partager son risque, rester. À son retour le cyclope en prend deux nouveaux qu'il mange.

Ulysse lui propose du vin. Le cyclope : Donne-m'en encore, sois gentil, et dis-moi maintenant tout de suite ton nom, car je voudrais t'offrir un présent. Ulysse le ressert et lui dit : C'est Personne, mon nom : oui ! mon père et ma mère m'ont surnommé Personne. Le cyclope répond qu'il mangera Personne le dernier, après tous ses amis, voilà le présent qu'il lui fait, d'avoir un peu plus longtemps à vivre que prévu, et il s'endort. Ulysse saisit alors le pieu, il l'avait mis à chauffer sous les cendres, il parle à ses gens pour les encourager si l'un d'eux a l'intention de l'abandonner. Quand le pieu d'olivier est sur le point de flamber, il le tire du feu, il l'apporte en courant, ses gens l'entourent. Ils soulèvent le pieu, ils en font tourner la pointe dans le coin de l'œil du cyclope. Qui hurle, la roche retentit. Il s'arrache de l'œil le pieu trempé de sang. Il appelle à grands cris ses voisins les cyclopes. Ils entendent son cri, ils s'empressent. Ils étaient là, debout, tout autour de la grotte, voulant savoir.

Le chœur : Pourquoi ces cris ? Pourquoi nous réveiller en pleine nuit ? Est-ce toi que l'on tue par la ruse ou par la force ?

Il répond du fond de sa caverne : La ruse, mes amis, la ruse, et non la force, et qui me tue ? Personne.

Le chœur : Personne ? Contre toi, pas de force ? Tout seul ? C'est donc un mal qui te vient du grand Zeus et nous n'y pouvons rien. Ils s'en vont et Ulysse se disait en riant tout bas : c'est mon nom de Personne qui l'a abusé.

Le cyclope en tâtonnant va lever le rocher du portail, pour permettre à ses frères d'entrer, mais ils sont partis. Il tend les mains pour attraper Ulysse et ses amis, mais ils partent cachés par la laine des bêtes du troupeau qui sort de la grotte.

Je recoupe avec : Quand je sors, qu'on me demande « vous êtes Christine Angot ? » et que je dis non. Pour avoir la paix, et parce qu'ils ont fait d'elle un tel personnage, qui narre, qui raconte. Alors que je ne raconte rien, pas moi, rien sur moi, ni de moi, ni à partir de moi, non, je parle, moi. Je ne me suis pas fabriqué un personnage pour la fiction, la télé, la vie, une personne, rien que ça, une personne. Et aussi : Je ne l'ai pas toujours été Christine Angot, j'étais Christine Schwartz avant. S.C.H.W.A.R.T.Z comme m'a dit Sophie Laroque qui est venue me voir dans le cinquième à L'Arbre à Lettres, le 8 octobre, à la fin de la lecture. On s'était vues pour la dernière fois en 72, on avait treize ans. On avait la même école à Châteauroux, sa maison avait un grand portail bleu. Elle m'a dit S.C.H.W.A.R.T.Z, je me le rappelle encore. Je dis toujours à mes enfants comme preuve de mémoire, j'avais une amie je me rappelle encore l'orthographe. Elle leur en parle pour les encourager au moment des devoirs. Dans Châteauroux, ce nom, j'avais souvent à l'épeler effectivement. Fin 72 c'était la première fois que je quittais une ville. Je sais qu'il y a eu une époque terrible en novembre, parce que chaque fin novembre comme là maintenant, je commence à penser à Noël et j'ai des envies de mourir, depuis que Claude est parti. Et sans doute aussi vu les circonstances, vu la page noire aussi. Mais pas seulement fin novembre, réfléchissons. Oui, réfléchissONS, ce n'est pas MON histoire. Ce n'est pas une HISTOIRE. Ce n'est pas MON livre. C'est l'histoire de personne, l'autofiction n'est pas possible. C'est personne, c'est une personne. Ulysse, sur les mers, passa par tant d'angoisses, en luttant pour survivre. Sur les mers. Tant d'angoisses. Survivre. Lutter. Ulysse avait des angoisses, et il fallait survivre et il fallait lutter, sur les mers. Que les vents agitaient. Comment se fier au sol ? Il n'y avait pas de sol, il n'y avait pas de terre, il n'y avait pas de calme sur la mer. Il avait des angoisses, mais il fallait survivre et il fallait lutter. Elle a rencontré son père, à Strasbourg, en août. On se retrouve fin novembre. Est-ce qu'elle sait à l'époque qu'elle a un demi-frère, une demi-sœur, sa mère a été incapable de le lui dire au téléphone tout à l'heure, ce qu'elle croit se rappeler, c'est que, elle, en tout cas, elle n'en a pas parlé, la raison : c'était sa vie à lui, ce n'était pas ta vie à toi. Toi tu avais ta vie à Châteauroux, ça ne te concernait pas. Si. Ça me concernait. Elle pense que c'est mon père qui m'en a parlé le premier de ses enfants, donc en 72 sûrement, j'avais treize ans. Le complexe d'Œdipe avait été décomplexé dès la deuxième rencontre à Gérardmer. J'entrais en quatrième à la rentrée de septembre, encore à Châteauroux. À la rentrée suivante, j'ai quitté la ville avec ma mère en cours d'année, début janvier, deuxième trimestre scolaire. Je suis rentrée à Reims dans une nouvelle école, Notre-Dame. Taittinger, Brigitte, aujourd'hui pdg des parfums Annick Goutal, les autres je ne sais pas ce qu'elles font. Sauf, Baudéan, Claire, journaliste, je l'ai entendue dans un taxi sur France Info. Le rêve de beaucoup de ces Rémoises était d'être journalistes, en même temps les affaires et en même temps contact avec l'artistique, elles venaient du champagne. Lanson, Béatrice. Foureur, Véronique. Henriot, Véronique. Philipponat, Laurence. Brigitte Taittinger est entrée la même année que moi dans le *Who's Who*, pas au même titre. Son rêve était d'être journaliste. Elle est pdg des parfums Annick Goutal, travaille beaucoup sur le Japon, le dernier sorti s'appelle *Ce soir... ou jamais*. Le nom avait été déposé très tôt car il avait été considéré comme génial. Fin novembre à Châteauroux que se passe-t-il, la dernière semaine. On prépare Noël je pense comme partout. On prépare Noël ici comme dans les villes moyennes, boulevard Victor-Hugo et avenue de la République, on commence probablement d'accrocher des guirlandes, lumineuses. Des sapins vont se dresser et puis on va les éclairer. Qu'est-ce que je vais avoir comme cadeaux ? Je dois commencer d'y réfléchir. Je dois commencer à réfléchir à ce que je vais offrir à ma mère. Mes parents commencent d'y réfléchir, par téléphone sans doute aussi entre eux et avec mon accord. Mes parents, première fois que je le dis, première fois que je l'écris. Mon père et ma mère étaient mes parents. Bien sûr, toujours ton accord, toujours avec toi, toujours beaucoup de dialogues, on parlait, on a toujours beaucoup parlé. Mes parents. Consentement. Obtenir. Tu n'as jamais été écartée. Sauf... mais ça, je n'y suis pour rien. Sauf ça. C'est pour ça que je n'ai pas eu de peine quand ton père est mort, je pense. Je le reconnais, je l'avoue. Je n'ai pas eu de peine, j'ai eu de la peine pour toi, et pour lui, même, tu vois, j'ai peut-être eu tort d'ailleurs, mais moi non, l'important... écoute... c'est qu'on soit ensemble là toutes les deux. NON ? Plus tard, des mois plus tard, en fait hier : il y avait une croisière sur le Rhin : je n'ai pas voulu y aller parce que le départ se faisait à Strasbourg. D'abord le consentement, ensuite la bonne conscience. J'explique trop. Guy Bedos dit : je ne travaille pas pour le dernier de la classe. Moi j'essaye de penser aussi à lui. On me demande si je veux changer de nom, je suis d'accord, on profiterait du changement de ville. Ça permettrait d'éviter les questions, il faut toujours préférer la simplification, ça simplifie. Si on change de ville et de nom en même temps, le changement devient invisible. J'arriverai dans la nouvelle et je dirai : Christine Angot. Et au lieu d'être servie toujours la dernière dans l'appel, je passerai en début de liste. Le A est mieux vu que le S. Le S c'est serpent, le A ange. Si je voulais survivre à toutes ces angoisses, intérieurement c'est sûr je me suis surnommée Personne. Ça fait beaucoup de morts en novembre, beaucoup de deuils, le 2, Pierre Angot et le 26-28 Schwartz Christine que j'aimais bien. J'aimais bien cette petite fille. Il y avait eu le cadeau de l'été qui m'avait décomplexée, et puis le cadeau, fin novembre, se préparait par téléphone, pour entériner, treize ans ça fait tôt pour changer le nom, le changement de ville est l'occasion. De tourner les noms, les villes, les terres et le ciel, les langues dans ma bouche. Champagne. Tu n'auras qu'à dire à la fille Lanson : moi c'est Angot. Angot Christine, Christine Angot, mais intérieurement Personne évidemment. Je n'avais pas mis au feu le bois d'olivier, mon bateau n'était pas amarré et j'étais très jeune. Je ne RACONTE pas. Je ne raconte pas MON histoire. Je ne raconte pas une HISTOIRE. Je ne débrouille pas MON affaire. Je ne lave pas MON linge sale. Mais le drap social. Fin novembre, si on la faisait changer de nom, comme ça elle s'appellerait comme tout le monde, comme son père. Tous les pères, tous les enfants. Il n'y a personne qui ne s'appelle pas comme son père. Être pareil. Et puis on change de ville. Ni vu ni connu on s'habille en peaux de bêtes, personne ne verra qu'on s'en va. On passe le gros rocher comme ça. Fin novembre. Et 14 décembre 72, reconnaissance d'enfant naturel. Là on retombe au niveau du témoignage, de *Marie-Claire* rubrique Moi, lectrice, mais ça dépend de vous, relevez-vous. Aidez-moi plutôt à tenir le drap social. Dans lequel tous on se drape. Drapé, quelle drapure, quel drapé, quels plis, dans les plis. Quel plissé, quel tombé, quelle allure, quelle noblesse, quelle aristocratie, quelle tragédie, antique, quel merveilleux moment de théâtre, quel spectacle, social, Zola, Balzac, Hector Malot, quel drapé, quelle enveloppe, que c'est beau ce A majuscule. Chère Christine, je rouvre l'enveloppe pour te dire le plaisir que j'ai à mettre sur l'enveloppe mon nom qui est devenu le tien, par le notaire le 14 décembre, puis à Châteauroux avec ta mère, le 18 décembre, où je suis venu avec elle à la mairie pour faire le nécessaire. Le nécessaire, faire le nécessaire, pour comprendre, pour capter que vous êtes dans de beaux draps vous aussi. Quand je pense qu'il y a des gens dont le métier s'appelle victimologue, ne vous rangez pas là. Sortez du drap, tenez-le, et laissez-le claquer au vent. Au vent frais, ne serait-ce qu'un peu. Oui vous aussi. Tous ensemble, tous ensemble, tous. Christine Angot, on tue l'autre. C'est un crime collectif, avec l'avis, avec l'accord de la justice, de l'école, de la bourgeoisie du champagne et de mes parents, ce soir... ou jamais. Aujourd'hui... ou jamais. C'est l'occasion. Que tu portes toute seule les gens qui déménagent, mon ange, tu arrives dans la bourgeoisie du champagne, mon ange et tu dis le contraire de ce que tu disais à la fille du fabricant de moquettes de Châteauroux, et à celle du chirurgien, tu dis le contraire à tout le monde. La ville est autre, personne ne se souviendra de l'orthographe bizarre. Ange. Mention marginale : Néant. Ils étaient au logis tous les autres héros. Mes parents. Il ne restait que lui... Christine Angot inquisitionne : « Je voudrais savoir ce qui fait rire... » « David Hallyday ! » dénonce Ardisson. Le petit Hallyday, qui avait, samedi soir, les yeux baissés, l'attitude de l'élève qui prétend être invisible au professeur, le petit Hallyday tique, prêt à faire front en vaillant taurillon. « Je voudrais savoir ce qui fait rire... Clémentine Célarié », désigne Christine Angot qui est samedi soir parmi les invités de *Tout le monde en parle*. C'est Nicolas Duffour qui raconte dans *L'Humanité*, et je suis contente que ce journal porte ce nom. Un visage en ciseau, une mèche qui lui descend sur l'œil, une lame de rasoir dans le regard, un corps long et mince (je fais illusion), Angot est une éplucheuse de mots, une décortiqueuse de sens, une terroriste de plateaux qui met minable à coup de silences, de colères froides et d'humour glacé. Elle n'a jamais qu'une réponse, un absolu : la littérature, qu'elle brandit en crucifix.

CA : J'écris moi, mais ce n'est pas la même chose que je raconte moi.

Ardisson : Vous avez choisi un personnage qui s'appelle comme vous.

CA : Je ne peux pas, moi, me réduire à un personnage, ça serait comme si je me dédoublais, or je ne me dédouble pas, au contraire, je m'étends dans le livre.

Clémentine Célarié est mortifiée d'avoir à se justifier. A-t-elle ri ? Angot l'a vue, pas le téléspectateur. Le public a ri. David Hallyday a ri. Ils ont ri après que Thierry Ardisson a lu : Page 206, là, c'est violent, prévient-il : « Son père la forçait à manger des clémentines sur son sexe... il la sodomisait... seulement après il allait à la pharmacie acheter de la vaseline. »

Tous ont ri. Maintenant, gênés qu'ils sont, les invités fixent le petit écran qu'ils ont chacun, belle invention, qui leur permet de tamiser le réel par sa représentation.

Clémentine : J'ai ri, parce que les gens ont ri, parce que je pensais qu'ils pensaient à moi.

David Hallyday : On rigole souvent des choses qu'on ne comprend pas.

Personne ne relève et l'émission continue.

Linda Hardy, la co-animatrice : Qu'est-ce qui vous fait rêver Christine Angot ?

À la télévision les plis du drap social apparaissent comme si on avait cousu au bas de la robe des petits bouts de plomb. Petit à petit, je vais parler de tout ça de moins en moins. Le livre, les chiffres et les journalistes. Nous sommes le 30 novembre, je suis dans ma sale période. J'avais retrouvé Marie-Christine une courte durée, nous sommes en froid comme chaque fois que revient cette date. Je suis en froid avec tout le monde, sauf avec Frédéric parce que je lui lis ce que j'écris, je lui lis ça. J'étais en pleurs après lui avoir lu le passage d'Ulysse. Je me sens de nouveau loin. Vous le saviez qu'avec Ismène c'était perdu d'avance, ce n'est pas une héroïne, vous l'aviez compris avant moi. Ceux qui ont lu *L'Inceste* avaient compris avant moi. J'ai tendance à rêver, j'ai tendance à croire au courage des autres. J'ai presque toujours tort.

Le chœur dit à Antigone : En allant à l'extrême de l'audace tu t'es heurtée contre le haut piédestal de la Justice, ô ma fille, durement, mais tu paies pour tes pères.

Antigone : Maudite et non mariée je m'en

vais maintenant établir ma demeure. Les malheureuses noces que tu obtins, mon frère ! Et, mort, tu me fais mourir moi qui vivais encore.

J'ai des rapports avec Marie-Christine comme avec Ismène, exactement, le problème de Noël se repose exactement comme l'année dernière. Je n'aurais pas cru cette année. Je me serais crue plus forte. J'avais tout prévu pourtant, j'avais dit à Frédéric, « cette année je m'en fiche, elle peut bien faire ce qu'elle veut ». Et fait je ne m'en fichais pas du tout. Ce qui s'est passé en 72 (symboliquement être tuée, hériter du crime surtout) fait que je ne peux pas m'en foutre. J'aimerai celui qui pourra le comprendre, et réciproquement. Mais il n'existe pas, car il s'en est tellement passé dans ma vie, il s'en passe, encore, tellement, des choses anodines que je vois grandes, des choses arrivent, ça n'arrête pas, qu'il faudrait quelqu'un qui soit comme moi Personne. Ismène est incapable d'agir contre les citoyens, elle n'a pas dit à Nadine qu'on se revoit : Ne préviens personne de ton acte, caches-en le secret, je ferai de même. Tu t'échauffes le cœur sur une chose froide. Tu veux l'impossible.

Antigone : Quand je n'aurai plus de force je m'arrêterai donc.

Antigone : Quand je n'aurai plus de force je m'arrêterai donc.

Et elle, mais il ne faut jamais poursuivre l'impossible... Eh bien, va si tu veux, va, mais sache qu'insensée tu demeures chère à tous les tiens.

Elles sortent. Entre le chœur.

France catholique : Christine Angot, plus que les autres, a bénéficié d'un lancement marketing en bonne et due forme : articles dithyrambiques au tout début du mois de septembre, dans *Les Inrockuptibles*, *Le Monde* et *Libération*. Puis, lors d'une émission de Bernard Pivot, elle s'en est prise, avec une rage glaciale et tyrannique, à un autre écrivain. Si un débat littéraire était ainsi lancé, si enfin un chef-d'œuvre naissait sous nos yeux, nous ne pourrions que nous réjouir. Mais, malheureusement, de toute évidence, ce déferlement savamment orchestré, n'est qu'une vaste mise en scène pour tromper les gogos. Des leurres ont été lancés sous forme de faux débats : peut-on tout dire ? De quelle vérité s'agit-il ? Tout cela est de l'épate-bourgeois. Christine Angot se moque des convenances, croit au monologue des viscères, aux plaies béantes grattées et exhibées avec fierté. Elle ne dialogue plus et ne s'ouvre sur rien d'autre qu'elle-même.

Christine : Tu vois ce qui en est. Tu vas

montrer si tu es de bonne race ou si tu dégé-
nères.

Marie-Christine : Quoi, malheureuse, si
nous en sommes là, que je le veuille ou non,
je n'y peux plus rien. Nadine a beaucoup souffert de ton livre et ne supporterait pas que je
lui dise « je passe Noël avec Christine
Angot ». Ça suffit de me dire « je serai seule
avec ma fille », chacun sa famille. Tu n'as
qu'à prendre quelqu'un qui n'a pas de famille.
C'est un jour dans l'année, je le passe avec
ma famille. Car vois-tu j'ai une famille je suis
désolée.

Christine : Vois si tu veux agir avec moi et
m'aider.

Marie-Christine : Quelle est cette audace ?
À quoi songes-tu donc ?

Christine : À pouvoir porter le mort avec
ton aide.

Marie-Christine : Est-ce que tu penses l'enterrer quand c'est interdit ?

Christine : Je pense fêter la naissance le 24
et le 25 tu pourrais monter voir Nadine à Paris.

Marie-Christine : Il ne se passe rien le 25 à
Paris.

Christine : À Montpellier non plus.

Marie-Christine : Tout le monde autour de
moi est de mon avis, Noël se fait en famille.
Tout le monde pensait que cette année tu
aurais compris. Tu as fait l'année dernière tes

168

règlements de comptes dans *L'Inceste* tu as fait ce que tu as voulu, il y a des conséquences.

Guillaume Dustan m'avait dit : Elle n'a pas l'air très rock.

Christine : Les conséquences, il faut que je les paie ? Dis plutôt que tu n'as pas le courage de dire à Nadine que tu m'aimes.

Marie-Christine : Ô malheureuse, quand Créon s'y oppose ?

Christine : Il n'a pas à me séparer des miens.

Elle avait rêvé dans la semaine qu'elle donnait naissance à deux jumelles, c'était la première fois de sa vie qu'elle rêvait qu'elle accouchait. Les deux jumelles avaient les cheveux longs. Il y en avait une qui disait « viens maman ».

Marie-Christine : Je céderai à ceux qui ont le pouvoir car il est insensé de faire plus qu'on ne peut.

Christine : Je ne demande plus rien ; si maintenant tu voulais m'aider, j'en serais sans joie. Fais comme il te semble. Moi je l'ensevelirai : je trouve beau de mourir pour cela. Aimée, près de lui que j'aime, je reposerai en pieuse malfaitrice. Et je passerai Noël seule.

Marie-Christine : Je suis incapable d'agir contre les citoyens.

Christine : Prends donc ce prétexte ; moi je vais amonceler un tertre sur mon frère chéri. Il est mort, c'est fait. Je ne dirais pas « c'est bien fait », mais : c'est fait. Maintenant c'est fait. Et pour Noël je serai seule.

Le chœur : La littérature n'a rien à voir avec les souffrances des écrivains ou l'idée qu'ils se font de la littérature. Quand bien même Christine Angot dirait avec souffrance, une vérité insupportable pour elle, cette souffrance en tant que telle, n'ajoute pas une once de littérature à son texte.

Cet article est paru dans *France catholique*, le journal de mon école quand j'étais petite. Comme c'est triste de renoncer en un jour à être aimée. En un jour dans l'année. Comme c'est triste d'avoir sous les yeux quelqu'un qui n'ose pas le dire, pas le dire à sa cousine. Comme c'est triste d'être écrivain, comme c'est triste d'écrire des livres, comme c'est triste de croire qu'on va être compris. Comme c'est triste d'être aimé des faibles. Comme c'est triste d'écrire des livres.

Le chœur : Elle dit : est-ce que vous m'aimez ? Je ne réponds pas. Je ne peux pas. Elle dit : si je n'étais pas Duras, jamais vous ne m'auriez regardée. Je ne réponds pas. Je ne peux pas. Elle dit : ce n'est pas moi que vous aimez, c'est Duras, c'est ce que j'écris. Elle dit : vous allez écrire je n'aime pas Marguerite. Elle me donne un stylo, une feuille de papier et elle dit : allez écrivez, comme ça ce sera fait. Je ne peux pas. Je n'écris pas ce qu'elle me demande d'écrire, ce qu'elle ne veut pas lire. Elle dit : Yann, si je n'avais écrit aucun livre, est-ce que vous m'aimeriez. Je baisse les yeux. Je ne réponds pas. Je ne peux pas. Elle dit : mais qui vous êtes vous, je ne vous connais pas, je ne sais pas qui vous êtes, qu'est-ce que vous faites ici avec moi. C'est peut-être pour l'argent. Je vous préviens, vous n'aurez rien, je n'ai rien à vous donner. Je les connais les escrocs, vous savez, on me la fait pas à moi.

Silence.

Silence, passons. Tout est ma faute. Je sais. Je sais et je savais. Je ne croyais pas et j'ai voulu croire. Je m'étais dit quand elle m'a rappelée : On peut croire. Il n'y a qu'une chose, les chiffres et les articles. Jean-Marc appelle Pocket ce matin, pour savoir combien de titres en poche se sont vendus, et voilà ma vie. À midi, je vais chercher Léonore à l'école, voilà ma vie. Marie-Christine m'avait dit « tu vas être un écrivain qui aime quelqu'un » mais voilà ma vie. Je suis un écrivain qui ne peut aimer personne. Sérieusement je repense à changer de ville. Pourquoi pas ? Hier on a appelé le médecin pour me faire une piqûre, une piqûre pour me calmer, j'étais à terre comme dans la deuxième partie de *L'Inceste*. Ce sont des crises qui prennent toujours le 28 novembre quand on parle de Noël, ça y est maintenant ça va, j'ai compris, à cause de la reconnaissance d'enfant naturel. Ismène ne veut pas quitter la ville, elle. Je suis écrivain moi, je peux me défouler dans mes livres. Et il ne faudrait peut-être pas que je m'étonne. Il faut que je m'éloigne de tous ceux-là, que je m'éloigne. De tous ceux-là. Tous ceux-là, ceux-là tous, tous, tous plus nuls les uns que les autres, il faut que je m'en éloigne, de tous, enfin en tout cas de tous ceux-là.

Le chœur : Vous dites : non, je ne suis pas méchante, je suis intelligente. Et c'est vrai : vous n'êtes pas méchante mais vous êtes proche d'une sorte de méchanceté, proche du mal. Pas le mal. Non.

Le coryphée : Jamais vous ne faites le mal. Vous écrivez. Vous n'allez pas jusqu'au point de faire vraiment le mal. Parfois, oui. Et je demande : pourquoi me faire ça à moi, pourquoi ? Vous dites : je vous demande pardon, je n'y peux rien, le monde est intolérable, je ne veux plus rien, pas même vous, votre existence je veux la détruire, je ne veux plus rien, je ne sais plus comment m'en sortir, je crois que tout est raté, je crois que ce n'est pas la peine, que rien n'existe, que tout est foutu.

Sinon :

France catholique, le nom me fait penser à Sophie Laroque, les cheveux longs, la même coiffure, la dernière fois on avait treize ans, je quittais la ville de Châteauroux, je l'avais chargée de dire aux autres que je m'appellerais Angot à Reims, n'écrivez pas

S.C.H.W.A.R.T.Z. sur l'enveloppe, et contrairement à ce que je vous avais dit mon père n'est pas mort, il vit à Strasbourg et il est même traducteur, je change de nom, il travaille au Conseil de l'Europe, il y a une nouvelle loi, il m'a reconnue, il va me reconnaître, je vais porter son nom, on va profiter du changement de ville et d'école, pour que je porte ce nouveau nom. Je vais passer au début de la liste maintenant, A après avoir dû attendre S pour dire oui que j'étais là. Sophie Laroque, qui travaille en muséographie est venue me voir à L'Arbre à Lettres du cinquième. Frédéric m'a dit après dans le taxi, qui était cette dame ? Quelle dame ? C'était une petite fille pas une dame, je ne voyais pas, elle avait une chambre bleu marine et blanc, j'enviais cette chambre, ou alors orange et blanc, toutes ces couleurs étaient à la mode, ça passerait pensait ma mère, Sophie avait dans son jardin un cadran solaire, on m'en expliquait le fonctionnement.

Ismène : Tu t'échauffes le cœur sur une chose froide.

Christine : Peut-être.

Ismène : Tu demeures chère à tous les tiens.

Christine : Peut-être.

J'ose espérer que vous ne verrez pas d'objections à prendre place dans mon petit monde de photos dédicacées où j'essaye de réunir les personnalités littéraires contemporaines. Je rends hommage à votre talent d'écrivain et le postier que je suis ne peut que vous souhaiter une bonne continuation dans votre carrière et vos diverses activités.

N'empêche que j'aurais été un peu lâche de ne pas vous écrire. Je trouve. J'espère que les centaines (milliers ? dizaines ?) de lettres que vous recevez vous feront plaisir (mais pas trop). Être passionné rend jaloux. Inutilement, mais quand même. Avec toute mon admiration énamourée, À vous.

Bonjour, Christine...

Je vais te tutoyer, parce que je pense à toi comme à quelqu'un de très proche. N'y vois pas d'irrespect.

Pour que les choses soient claires : je t'aime.

Tout ce que tu pourras lire ne sera inspiré que par de l'amour, en bloc.

Tu es dans ma tête, parce que tu as changé ma tête. Je t'ai reconnue, ça veut dire que je me suis vu, moi. En toi, à travers toi, à cause de toi.

Moi, hein, pas toi. On n'est pas pareils, toi et moi. Je suis aussi unique que toi.

Je n'arrête pas de te parler, dans ma tête.

J'ai beaucoup de choses à t'écrire.

J'ai fait l'effort de te lire.

Je fais le pari que tu vas faire celui de me lire, moi.

Parce que je t'aime. Et ce genre de coup de foudre, ça a des racines profondes, c'est pas pour rien, et j'ai des sérieuses raisons de penser que tu risques toi aussi, de me reconnaître. Un fil invisible conduit l'écriture. Jusqu'à ce tournant du livre où l'héroïne...

Et à l'aéroport de Pau, l'homme du comptoir Air France m'a reconnue, il m'a mise au rang trois, alors que j'avais un billet de classe M, à partir du rang seize. Il a ajouté : si la société ne protège pas les écrivains, ça ne va plus. Un chauffeur de taxi m'a reconnue aussi. Il m'a dit : si j'avais été Pivot je vous aurais un peu plus cuisinée. Puis plus tard, on était déjà dans Paris : c'est quoi déjà le titre de votre livre, je l'ai oublié. Je pensais qu'on allait changer de ton, que ça allait se gâter. *L'Inceste*. Un homme de soixante ans d'origine asiatique, en France depuis longtemps : je n'aurais pourtant pas dû l'oublier, *L'Inceste*, l'ancêtre, en tout cas ça ne risque pas de se démoder, et dans tous les pays. Et quand je suis arrivée, au coin Grenelle-Saints-Pères, il m'a dit : merci, j'ai fait un trajet très agréable. C'est curieux que personne ne puisse passer Noël avec moi, c'est drôle, sauf ma fille, mais elle, elle n'a pas le choix, quand elle aura le choix, elle aussi, c'est normal, elle fera un autre choix. Je disais à Claude en partant à Paris la dernière fois : elle s'habitue Léonore à ces va-et-vient, je suis contente. Il m'a répondu « les enfants n'ont pas le choix », et cinq minutes plus tard « est-ce que tu lui as fait faire ses devoirs ? » Ça a coupé net la conversation, je n'ai pas eu envie de répondre, j'ai juste dit : c'est ma fête. Puis je n'ai pas parlé dans la voiture.

Créon : C'est assez pleurer. Rentre dans ta maison.

Nadine : C'est assez pleurer. Rentre dans ta maison.

Marie-Christine : C'est assez pleurer. Rentre dans ta maison.

Œdipe : Sais-tu à quelle condition je m'en irai ? Que tu m'envoies loin du pays. Emmène-moi donc tout de suite.

Créon : Viens donc, laisse tes filles.

Œdipe : Non, ne me les enlève pas.

Marie-Christine : Tu veux toujours triompher mais tes triomphes ne t'ont pourtant guère réussi.

Sortent Œdipe et Créon.

Une femme : Rendez-moi heureuse, rendez-moi ce que je vous ai donné, rendez-moi ce bonheur.

Le chœur : Je m'en retournai triste, en pensant que tous ces gens, ces maisons, ces choses ne me parlaient plus du tout, droit au cœur comme autrefois, et que moi tout mariole que je pouvais paraître, je n'avais peut-être plus assez de force non plus, je le sentais bien, pour aller encore loin, moi, comme ça, tout seul.

Emmène-moi donc tout de suite.

Viens donc, laisse ta fille.

Non, ne me l'enlève pas.

Tu veux toujours triompher, ça ne te réussit pas.

Je ne suis plus cinquième sur la liste de *L'Express*, c'est retombé, l'émission de Thierry Ardisson m'a provisoirement replacée dans la liste du *Point*, cette émission, je ne m'en suis pas trop mal tirée, d'après les échos que j'ai eus. Il y a eu l'histoire des clémentines, il y a eu la chronique dans *L'Humanité*. Quelques ventes, alors que nous sommes le 29 novembre, c'est-à-dire trois mois après la sortie. C'est bien, pour le livre. Le 8, il y a une fête Stock à Paris. C'est bien. Même si je ne suis pas en forme. J'espère qu'il y aura des gens sympathiques, que ce sera bien. Je regrette par flashs d'avoir eu un enfant, je pourrais me permettre de tout sacrifier à l'écriture, je n'aurais pas l'obligation que j'ai, de passer une belle fête de Noël, ni les conséquences si la fête échoue, je n'aurais pas le souci de la vie que j'ai. Je n'aurais pas à contrôler ce que je dis, je n'aurais pas à regretter ce que je viens de dire, et que je regrette, mais je suis une espèce de trou, je suis une espèce de bouche. Comme toutes les mères, il sort de ma bouche des crapauds aussi, comme les sorcières. Le mardi 23 novembre, ma mère en a craché trois.

Nous étions dans un café, la conversation,

enfin, a fini par porter sur la mort de mon père, le 2 novembre. Il lui a fallu vingt et un jours avant de laisser sortir les sales bêtes.

Premier crapaud : J'ai eu de la peine pour toi, j'ai même eu de la peine pour lui, je suis allée jusque-là, tu vois, je n'aurais peut-être pas dû. Mais je n'ai pas eu de peine, moi, non. Ça. Et puis écoute : l'important c'est qu'on soit là toutes les deux. Non ?

Énervement consécutif, abattement, éloignement, fossé. Départ du café. Rue. Coin de la rue.

Deuxième crapaud : Je vais peut-être te dire quelque chose que tu vas encore considérer comme une violence, mais : En tout cas, tout ce que je peux te dire, c'est que, si par-delà la mort, ton père doit continuer de nous séparer, je ne suis pas d'accord.

Antigone : Je vais te dire quelque chose de très important. Si tu m'aimes comme tu le dis, tu devrais aller réfléchir à ce que tu viens de dire. Et avec l'aide de quelqu'un, car seule c'est trop difficile, tu n'y arriveras pas.

Troisième crapaud : Eh bien, je n'y suis pas prête. J'ai bientôt soixante-dix ans, toi bien sûr tu as quarante ans. Mais moi j'ai bientôt soixante-dix ans, je m'en vais moi aussi vers la fin.

Ceux qui n'auraient pas compris pourquoi ce sont des crapauds, c'est ridicule si j'explique. Ce sont des crapauds c'est explicite. Ce ne sont pas des pièces d'or, ce sont bien des crapauds. Je ne rêve pas. Je le sais. Je sais les reconnaître, avec leurs gros yeux aveugles. J'ai pris la direction de la librairie où je savais que je trouverai Fanette, je me disais « c'est ma mère de substitution », j'avais décidé d'entrer dans la librairie, de l'attirer au fond et de me jeter dans ses bras en pleurant. Je l'ai fait.

Il faut que j'avance sur cette transformation d'Œdipe en Antigone. Ça suffit, ça devient clair, et puis Ulysse aussi, avec toutes ses angoisses. Il ne pensait qu'à son radeau : d'un élan dans les flots il alla le reprendre, puis s'assit au milieu pour éviter la mort et laissa les grands flots l'entraîner çà et là au gré de leurs courants... Les vents poussaient le radeau sur l'abîme, tantôt le Notos le jetait au Borée, tantôt c'était l'Euros qui le cédait à la poursuite du Zéphyr.

Mais Ino l'aperçut, la fille de Cadmos aux chevilles bien prises, qui jadis simple femme et douée de la voix, devint au fond des mers Leucothéa et tient son rang parmi les dieux. Elle prit en pitié l'angoisse du héros jeté à la dérive, lui dit : Sois tranquille, on ne peut t'achever.

Télérama publie un reportage sur Montpellier. Parmi les dix personnalités qui font bouger la ville, j'arrive huitième, qui comptent et qui compteront dans les prochaines années. Qui contribuent au dynanisme montpelliérain.

Je suis invitée dimanche à l'anniversaire de Karim, j'irais bien, mais je crains qu'il y ait beaucoup d'ennemis. Je crains qu'il y ait Annie, Christine, Mathilde, Herman, et d'autres qui ne crachent pas des pièces d'or non plus. Même Marie-Christine. Il va y avoir un colloque sur moi à Jussieu le 11 février, ça c'est bien, dans l'unité de recherche de Grossman, ça c'est bien. Il y a déjà des affiches dans la fac, avec la date, l'heure et mon nom, et modérateur : Emmanuelle Touati. Je l'ai appelée hier. Il faut s'organiser. Il ne faut pas que ce soit tout le monde sur le même sujet. J'ai pensé à Laurent Goumarre, à Étienne Marest (sur le théâtre) et à Thomas Clerc, Emmanuelle fera aussi quelque chose, elle m'a dit qu'elle avait déjà trouvé des trucs géniaux, il pourrait y avoir Christiane Labarrère, qui m'écrit toujours des lettres très fines dans ses analyses, éventuellement Serge. Il y aura mon anniversaire le 7, et cette année, je ne veux pas comme l'année dernière le gâcher. Quel gâchis l'année dernière, quelle fête ratée, quelle tristesse, j'avais failli partir, j'avais failli les planter là, en plein milieu. Et d'ailleurs, qu'est-ce qui m'a retenue ? Je suis une fille qui a trop peur. Je serais aujourd'hui plus fière si j'avais nagé jusqu'à mon radeau. Il faut que je me soigne. Il faut que je soigne cette envie irrépressible que ça aille, que ça ira, que c'est possible, qu'on s'entendra, pas tout de suite d'accord mais dans une heure, pas tout de suite on laisse passer un mois d'accord, une année, pas tout de suite d'accord, une demi-heure, cinq minutes. Quand les gens ont des élans je m'y accroche et je laisse mon radeau au large. À partir d'aujourd'hui, laisser au large les élans discontinus des gens.

Œdipe, à la fin d'*Œdipe Roi*, et puis c'est fini, je deviens sucessivement Antigone, puis Ulysse, enfin, et puis j'essaie là de trouver, comme on dit, un port d'attache, au moins provisoire.

Œdipe : Mes enfants, combien vous serez à la merci des gens pour vivre. À quelles assemblées de citoyens irez-vous, à quelles cérémonies d'où vous ne reveniez vite pleurer à la maison au lieu d'être à la fête ? Quand vous serez à l'âge des noces qui est-ce qui osera, mes enfants, prendre sur lui des hontes pareilles ?

Certainement pas Marie-Christine qui m'a bien précisé que si elle était invitée chez ceux qui ne me disent plus bonjour elle irait. C'est normal. C'est ce que je disais dans *Libération* sur le baiser de l'écrivain. Les gens de la société sont régulièrement attirés par nous, mais on n'a pas du tout la même façon d'embrasser, ni les mêmes lèvres, on les a lisses, ils sont surpris, mais nous, on a eu le temps de s'attacher. Lætitia Masson le comprenait, ça, mais le comprenait. On subit tous ça. Marie-Christine m'a demandé « et moi j'ai les lèvres comment, lisses ? » Ce n'était pas gagné, elle s'en doutait, et de fait je lui ai répondu « je ne sais pas ».

Vous en porterez la honte, et qui vous épousera ? Personne, mes enfants. Il vous faudra bien finir infécondes et vierges.

Il parle à Créon :

Empêche que leur malheur soit égal au mien. Aie pitié d'elles. Vois qu'elles sont jeunes et abandonnées de tous. Elles n'ont que toi. Promets-le moi, ô généreux, touche-moi la main. Vous mes enfants, si vous pouviez déjà comprendre que de conseils je vous donnerais. Mais faites-moi vœu, où que vous ayez à vivre, d'avoir une vie meilleure que celle du père qui vous a engendrées.

Nadine : C'est assez pleurer. Rentre dans ta maison.

Œdipe : Il faut obéir, quoique sans joie.

Jean-Marc a téléphoné à François Laurent pour avoir les chiffres Pocket, les ventes en poche. C'est moi qui lui avais demandé. Je le dis, sinon on l'accuserait encore. C'est moi, qui lui avais demandé. Il faut bien que je sache, de combien d'argent je vais disposer, si je veux déménager. Si ce sera Paris ou Montpellier et si ce sera grand ou petit, si j'aurai un Jacuzzi ou s'il vaut mieux que je m'arrache ce genre de rêves, bien pauvres, de la tête. Il a appelé sept fois chez Pocket avant de joindre François Laurent, qui a refusé de lui donner les chiffres, car : tu n'es plus Fayard, je ne te les donne pas, c'est la règle. Jean-Marc n'est plus Fayard puisqu'il est Stock. La règle. S'en faire une règle, d'appliquer la règle. Avoir ses propres règles, dont celle d'appliquer la règle. Enfin c'est la règle donc je ne sais toujours pas. Je vais demander à Anne Remlinger chez Fayard de demander. J'aimerais savoir c'est quand même mes livres, et mon avenir. Dans cette ville pourrie, où les fêtes je suis pressée d'en partir.

Quitter la ville, arrivée à Reims... je n'écrirai pas cette arrivée. Mais avant je précise juste. Je dis ce que je trouve. Mon père me disait : on ne dit pas « je trouve que ». Eh bien moi je trouve que :

On fait des faux papiers, en douce, on change de ville. Ni vu ni connu, personne que moi ne s'en apercevra, du changement d'identité. Personne d'autre que moi n'aura à la décliner, je n'aurai qu'à faire bien attention. Je vais avoir des papiers, je n'aurai qu'à présenter mes nouveaux papiers. Je n'aurai pas à présenter mes nouveaux papiers, il y a changement de ville. Ça se fera sans que personne s'en aperçoive, sinon il aurait peut-être fallu que je me fasse refaire le visage. *L'Embellie*, j'aurais appelé mon livre au lieu de *Quitter la ville*. Et par la même occasion, changement de race, la police ne pourra pas retrouver ma trace. S.C.H.W.A.R.T.Z. c'était juif, avec le prénom de ma mère Rachel ça allait mais avec moi Christine, qu'est-ce que ça signifiait. Christine Schwartz, vous trouvez vous que ça va bien ensemble ? Non, ça ne va pas bien ensemble. Il a fallu que je porte le nom juif de ma mère, et puis finalement on changeait de ville, on allait me donner Angot, un nom normand. Comme ça dans le train je n'aurais pas besoin de me faire refaire le visage. Il y en aura d'autres comme moi qui porteront des noms de père normands, auvergnats, catalans, béarnais, berrichons, pur beurre, le pâté de Pâques, du Berry, avec l'œuf au milieu ça sera plus logique que j'aime ça. Plus logique enfin. Un peu de logique. Allez on va remettre dans tout ça un peu de logique. On arrive dans la ville du champagne, de la fête, il y a des noms champenois. Schwartz, ça ne m'allait pas, épeler ça, ça suffisait. Comme dit Balavoine dans *La Ziza* « ton étoile jaune c'est ta peau, tu n'as pas le choix », phrase douteuse d'ailleurs, je trouve. Je trouve que. Cette phrase de Daniel Balavoine est un peu douteuse. Faudrait le dire sur Nostalgie un jour. Moi tout d'un coup j'ai eu le choix, fin novembre, 72. Tu la veux jaune la peau, tu la veux jaune l'étoile, tu la veux pur beurre. Normandie, tu préfères ça ? Qu'est-ce que tu préfères ? Dis-nous ce que tu préfères. La loi de 72 te le permet, tu peux dire ce que tu préfères, les règles ont changé, tu peux dire ce que tu préfères et tu auras même droit à une part d'héritage le jour où il mourra, sur les biens qui ne font pas partie de la communauté bien sûr ou sur la moitié, enfin tu verras bien, on n'en est pas là, il ne faut pas penser à ça. Il faut penser que tu auras un livret de famille normal. Et que personne, comme on change de ville, ne s'en apercevra. Et pour l'étoile rose, ça suivra, le jour où tu la voudras, tu l'auras. Ton père était mort, tu vas pouvoir dire que comme toutes les autres petites filles, il vit, en revanche la Schwartz Christine on la supprime. Je meurs, *ich sterbe*, qu'est-ce qu'elle en aurait dit la Nathalie. Rien, des presque riens, des petits bouts de rien, des moitiés, des petits bouts de fil, qu'elle aurait encore triés, même pas par couleurs mais par nuances de couleur, afin de trouver en elle tous les petits bouts. Alors que moi, évidemment, comme j'ai été, d'emblée, d'un coup d'épée, coupée, l'étoile jaune ou pur beurre, l'étoile rose ou les hommes, le noir ou la couleur, je n'ai pas spécialement envie de faire dans la dentelle, là, maintenant. Je préfère montrer du doigt le crime, je trouve que ça c'est un crime. Je trouve que de rassembler les familles c'est un crime. Je trouve que changer de ville c'est un crime, je trouve du moins que ça n'empêche pas le crime. Le crime était presque parfait puisqu'on avait changé de ville. Ni vue ni connue Schwartz Christine, *ich sterbe*. Je meurs au moment de Noël alors que je m'appelle Christine, non mais je rêve. Je rêve, je devrais plutôt à ce moment-là sentir que, trouver que, c'est bien, que c'est Noël, eh bien pas du tout. Depuis trois ans, *ich sterbe* et ça commence fin novembre et ça dure toute la période, depuis que Claude est parti, depuis que je suis libre. Depuis que j'ai rencontré une femme bourgeoise, pas très rock, qui trouve très beau son nom de famille. Sans critiquer. *Ich sterbe*, je ne critique pas. C'était le changement de ville, mais même, même avant, qu'est-ce que je foutais à Châteauroux, qu'est-ce que je foutais là-bas. Comment ça se fait que je suis née et que je suis restée quatorze ans là-bas ? Qu'est-ce que j'y foutais là-bas ? Vous êtes originaire de où ? Je suis originaire d'un voyage. En train, en voiture, il y avait les plantes derrière et puis maintenant l'avion. Le crime était presque parfait, ce qu'il ne fallait pas c'était défigurer l'enfant, alors on a préféré changer de ville. Fin novembre, urgence, on le sait, on va changer de ville, elle a sa mutation, ma mère. Il y a urgence, que les papiers suivent, la préfecture, la mairie. Le grand voyage à Châteauroux de mon père pour aller à la mairie avec ma mère. *Ich sterbe* mais au moins je suis comme les autres petites filles. Il vient le 18 pour faire le grand voyage à la mairie, mais dès le 19 pour préparer les fêtes, départ. On passe Noël à Châteauroux j'ai un nouveau nom, tiens, bizarre. Tout ça dans les règles les plus strictes de la législation, du droit de la famille, du droit des successions. Des règles tout à fait normales m'ont enfin permis d'avoir un nom tout à fait normal, tant pis je n'aimais pas l'autre, dans des conditions tout à fait normales où je n'ai eu rien à expliquer à personne, sauf à Sophie Laroque. Qui est venue me voir à L'Arbre à Lettres du cinquième. Elle avait téléphoné à Marie-Osmonde Balsan, une autre amie, la fille des moquettes Balsan, les industriels, de Châteauroux, qui avaient un grand parc dans la ville. Il y avait des invitations patins à roulettes. Car il y avait de l'espace. Un peu comme Marie-Christine dont le père avait à Oran, une clinique. Où on aurait pu me soigner si je n'avais pas changé de ville, ça m'aurait tellement fatiguée de répéter sans arrêt, j'ai changé de nom, mon père n'est pas mort, il vit, d'expliquer. C'est vrai, ça fatigue. Le crime aurait été parfait si ça n'avait pas correspondu à Noël et donc la naissance du Christ où normalement je nais. Il y avait une expression à Châteauroux « tu me fais tourner bourrique ». Je me demande si ce n'est pas ça qu'on a voulu faire, me faire tourner bourrique. Mais loin, loin, loin d'être folle, je vois tout. On a eu beau me faire émigrer à Reims avec mes nouveaux papiers. Moi je trouve que je meurs. Que fin novembre je meurs. Et il faudrait que je me taise alors que j'ai la chance de le voir en direct, je ne suis pas obligée d'attendre que Yann Andréa décrive ma mort dans quarante ans. C'était presque parfait et on avait mon consentement, on l'a toujours venant des enfants. C'est pour ça peut-être que je dis toujours non quand je passe à la télévision sauf les fois très rares où on me dit quelque chose de juste. Je trouve que cette loi de 72, comme toutes les lois qui existent, oblige à changer de ville des gens qui ne savent déjà pas pourquoi ils sont là. Des gens qui se demandent déjà comment ça se fait qu'ils sont nés là, et comment ça se fait qu'ils s'appellent comme ça, et comment ça se fait qu'on existe, et comment ça se fait, tout. Changer de ville, c'est la facilité. Changer de ville, ça a une fonction : ne pas expliquer. Pour s'éviter une petite explication, les gens seraient prêts à vendre leur fille. Alors qu'il aurait suffi de dire : Viens, mon amour, j'ai tort. Viens, mon amour, voilà ton cadeau. Viens, ça s'arrangera, il y a aussi des ciels étoilés à Montpellier. Il y a des gens gentils partout, il y a des gens intelligents qui courent les rues, il suffit de leur expliquer et on va le faire. On va leur dire : j'aime Christine. On va leur dire et on va leur expliquer pourquoi. Moi je vais le faire, je commence. Mais ne commencez pas à vous imaginer que j'écris pour être aimée de vous, c'est impossible. Vous voyez bien que ces phrases éloignent. C'est des rêves pauvres, c'est des trucs de gamin. Alors tu as une solution ? Qu'est-ce que tu proposes ? Qu'est-ce qu'il aurait fallu faire ?

On arrête avec ça. On ne cherche pas de solutions. On n'accuse personne. Personne n'est parfait. On essaie de passer et si possible cette fois pas en douce. Ni vers la Normandie, ni vers les juifs, ni rien. On arrête avec ça, les noms, on enlève tous les noms, on enlève tous les mots. On enlève tous les papiers. Il n'y a qu'une chose qu'on gardera intacte, c'est : je trouve que. Ça, on le garde.

Composition réalisée par NORD COMPO

IMPRIMÉ EN ALLEMAGNE PAR ELSNERDRUCK
Librairie Générale Française - 43, quai de Grenelle - 75015 Paris
Dépôt légal Éditeur : 20100-04/2002
ISBN : 2 - 253 - 15280 - 3